Chère Lectrice,

En ouvrant ce livre de la Série Harmonie, vous entrez dans le monde magique de l'aventure et de l'amour.
Vous connaîtrez des moments palpitants, vous vivrez avec l'héroïne des émotions inconnues.
Duo connaît bien l'amour. La Série Harmonie vous passionnera.

Harmonie : des romans pour faire durer votre plaisir,
quatre nouveautés par mois.

Une villa à Los Angeles

Série Harmonie

NORA ROBERTS
Princesse gitane

Les livres que votre cœur attend

Titre original : *Rules Of The Game* (70)
© 1984, Nora Roberts
Originally published by SILHOUETTE BOOKS,
division of Harlequin Enterprises Ltd,
Toronto, Canada

Traduction française de : Frédéric Lasaygues
© 1985, Éditions J'ai Lu
27, rue Cassette, 75006 Paris

Chapitre 1

— Un sportif, quelle idée !

Stella but une gorgée de café et se renversa dans son fauteuil, sourcils froncés.

— Jolie partie de plaisir en perspective ! reprit-elle.

— Ecoute, si Di Marco veut engager un athlète pour sa campagne publicitaire, c'est son droit, répliqua Claire sans se départir de son calme. Après tout, tu es bien payée pour tourner ces spots, non ?

Stella fixa son aînée avec intensité. Les yeux gris, aux reflets métalliques, traduisaient toute la détermination et l'intransigeance de la jeune femme. Elle était capable de dévisager ainsi n'importe qui, que ce soit un magnat de l'industrie ou un simple figurant sur le plateau d'un studio. Si elle s'était tout d'abord composé ce regard pour pallier son manque de confiance en elle, il était peu à peu devenu une arme redoutable dont elle se servait à merveille.

Toutefois, il en fallait plus pour impressionner Claire Thornton. A quarante-neuf ans elle était à la tête de sa propre affaire, les Productions Thornton, et réalisait chaque année un chiffre d'affaires de plusieurs millions de dollars. Elle avait mené sa barque seule pendant près de vingt-cinq ans et il était hors de question qu'il en fût autrement.

Elle connaissait Stella depuis une dizaine d'années. La jeune fille était entrée dans la société à dix-huit ans et avait rapidement gravi tous les échelons jusqu'à la mise en scène et la réalisation. Claire se félicitait de lui avoir donné sa chance car Stella avait un réel talent. Elle avait pressenti en elle de grandes possibilités et l'avait appuyée dans son ascension. L'intuition était sans aucun doute l'une des clés du succès de Claire Thornton.

Stella poussa un soupir et promena un regard préoccupé sur les photos publicitaires qui couvraient les murs.

— Eh bien, puisque nous n'avons pas le choix, attendons de le voir à l'œuvre !

La pièce dans laquelle elle travaillait était vaste. Un canapé à deux places de velours brun ainsi qu'une table basse en verre fumé en occupaient le centre. Assise derrière son bureau sur lequel s'empilaient des magazines de mode et des notes de travail, Stella croisa les mains sous son menton.

— Enfin, Claire, reprit-elle, pourquoi est-ce qu'ils n'engagent pas un acteur professionnel ? Tu sais bien que tous ces gens, qu'ils soient pop-stars ou vedettes du sport, ne peuvent pas dire une réplique correctement. Nous courons au désastre ! Quand je pense qu'il suffirait d'un coup de fil à n'importe quel imprésario pour avoir une demi-douzaine d'acteurs prêts à se battre pour obtenir le rôle !

D'une chiquenaude, Claire chassa une poussière de la manche de son tailleur rose.

— Un nom comme celui de Bruce Jones est

une bombe publicitaire. Le public lui fait confiance et c'est ce qui est important pour nous.

— Bruce Jones ! Qui a jamais entendu parler de lui ?

— N'importe quel fou de base-ball entre New York et Los Angeles, répondit Claire en esquissant un sourire.

— Mais nous vendons des vêtements, pas des battes de base-ball !

Claire poursuivit d'un ton ferme et assuré :

— Il a déjà remporté huit championnats nationaux avec l'équipe des Pirates. C'est un héros dans l'esprit de bien des gens.

Stella eut une moue perplexe.

— Comment le sais-tu ?

— Je me suis renseignée, dit-elle d'un air triomphant. Cela fait partie de mon travail. Un producteur doit savoir à qui il s'adresse. Simple conscience professionnelle.

Claire se leva lentement. Stella observa son visage lisse et maquillé avec soin. Bien qu'elle approchât de la cinquantaine, elle conservait un teint de jeune femme.

— Bon, je te laisse. Surtout ne fais pas de projets pour ce soir. J'ai deux billets pour le match de base-ball. Pirates contre Rangers.

— Pardon ?

— Bon après-midi, répondit seulement Claire avant de refermer la porte derrière elle.

Exaspérée, Stella secoua la tête puis fit pivoter sa chaise afin de contempler la vue qui s'offrait à elle. Les gratte-ciel dressaient dans le ciel bleu leurs vitres miroitant au soleil. En bas, l'autoroute surchargée déversait un flot continuel de voitures vers le centre de la ville.

Stella avait commencé au niveau de l'entresol et, maintenant, elle dominait Los Angeles. Vingt étages qui représentaient son ascension jusqu'à la réussite. Des années d'efforts et de travail acharné... Rapidement, elle chassa cette pensée de son esprit, comme à chaque fois d'ailleurs que le passé revenait à la charge. Aujourd'hui, elle était libre, indépendante, et cela seul comptait.

Calée confortablement dans le fauteuil à haut dossier, jambes étendues, elle lissa d'un air songeur sa longue chevelure rousse aux reflets dorés.

Elle portait un chemisier de soie uni à manches longues et un jean délavé, avec pour unique bijou une paire de boucles d'oreilles de corail. Une légère touche de rose teintait ses lèvres, faisant ressortir la blancheur d'ivoire de sa peau. Tandis qu'elle repensait aux paroles de Claire Thornton, son regard errait sur la ville qu'un halo de brume encerclait. Ses grands yeux gris, en amande, étaient entourés de longs cils pâles. Elle avait un petit nez droit, des lèvres charnues et un menton volontaire qui semblait confirmer son exceptionnelle force de caractère. Son visage pouvait changer d'expression avec une rapidité propre à désarçonner quiconque, tendre et charmeur parfois, austère et dur l'instant d'après, mais toujours manifestant cette même exigence, ce même désir de se dépasser soi-même.

Elle songea à Di Marco, le célèbre styliste du jean et du vêtement de cuir. Il avait décidé d'augmenter son budget publicitaire pour la promotion télévisée et s'était adressé aux productions Thornton. Stella avait été choisie et avait signé un contrat de deux ans lui donnant toute liberté dans son travail. Il est vrai qu'elle méritait la confiance que Di Marco plaçait en elle. Elle avait déjà remporté trois fois le premier prix du meilleur film publicitaire. Un exploit pour une jeune femme de vingt-huit ans qui était entrée chez Claire Thornton dix ans plus tôt sans rien d'autre qu'un diplôme de fin d'études et... douze dollars en poche, mais aussi, il faut le dire, du talent et de l'ambition. Le projet Di Marco était un morceau de choix, elle devait se surpasser et, en premier lieu, s'habituer à cette idée saugrenue qu'elle aurait à diriger un joueur de base-ball !

Elle se plaça face à son bureau et décrocha le téléphone, triant de sa main libre les notes accumulées devant elle.

— Apportez-moi tout ce que vous trouverez sur Bruce Jones, demanda-t-elle à sa secrétaire, et informez-vous auprès de Mme Thornton de l'heure à laquelle je dois passer la chercher ce soir.

Les mains enfoncées dans les poches, Bruce arpentait nerveusement le bureau de son agent. C'était une pièce spacieuse dans laquelle étaient artistiquement disposés des statuettes, des vases et autres joyaux de l'art oriental. Le plus petit bibelot valait une fortune, c'était du moins ce qu'affirmait Lee Dutton.

— Comment diable est-ce que j'ai pu me laisser embarquer dans cette histoire ?

Lee eut un large sourire découvrant ses dents jaunies par le tabac.

— Parce que tu me fais confiance, voilà tout.

— Grossière erreur de ma part !

Bruce plissa les yeux, observant son interlocuteur avec une soudaine curiosité. D'une corpulence au-dessus de la moyenne, Lee avait un front dégarni et de petits yeux ronds pétillants de malice. Oui, bien sûr, Bruce lui faisait confiance. Il lui vouait en outre une profonde affection.

— Je ne suis pas un mannequin, Lee. Je suis un joueur de base-ball !

— Je ne te demande pas de faire un défilé de mode, rétorqua-t-il d'un ton posé. Mais c'est une publicité exceptionnelle, non seulement pour toi, Bruce, mais pour l'équipe et pour toute la ligue. Un marché en or ! Je ne connais pas un sportif qui refuserait cette offre.

Bruce poussa un juron. Il tournait à présent dans le bureau comme un lion en cage.

— Je vais avoir l'air ridicule. Tu parles d'une publicité pour les Pirates !

Lee tira de la poche intérieure de son veston un long cigare effilé qu'il alluma tout en fixant calmement Bruce dans le blanc des yeux. Exactement ce que cherche Di Marco, songea-t-il. Il examina la silhouette élancée du champion, sa tignasse blonde, sa tête carrée de pur Californien, ses traits fins et racés, son teint hâlé et ses yeux bleus. Un charme magnétique émanait de sa personne, un charme qui séduisait même ses adversaires les plus acharnés.

— Tu es un as, continua-t-il, d'un air grave,

10

mais tu as trente-trois ans, ne l'oublie pas. Combien de temps penses-tu encore jouer ?

Les yeux de Bruce lancèrent des éclairs. Son agent avait visé juste, sachant pertinemment qu'il projetait de se retirer dans deux ans.

— Quel rapport ? fit-il d'une voix irritée.

Lee soupira d'une manière éloquente.

— Il y a quantité de grands joueurs comme toi qui sont tombés dans l'oubli le jour où ils ont abandonné la compétition. Tu dois penser à ton avenir avant qu'il ne soit trop tard.

— J'y ai déjà réfléchi, figure-toi. Hawaii... la pêche, la sieste au soleil, les jolies filles...

Lee sourit intérieurement. Bruce se lasserait de cette existence de rêve en moins de deux mois. Il le connaissait assez pour affirmer cela sans crainte de se tromper. Il se tut néanmoins et attendit.

Bruce s'assit dans un fauteuil chinois recouvert de drap rouge et croisa les jambes.

— Lee, je n'ai pas besoin d'argent, alors pourquoi travailler pour un fabricant de prêt-à-porter au lieu de me laisser vivre ?

— Parce que c'est ton intérêt. Pense à ta cote de popularité, mon vieux !

Un sourire espiègle apparut sur son visage.

— En outre, je te rappelle que tu as signé un contrat et que tu n'as pas d'autre choix que de l'honorer.

Bruce se leva. Tandis qu'il se dirigeait vers la porte, il protesta :

— Je vais au stade m'entraîner un peu. Mais je te préviens que si je me couvre de ridicule à cause de ce film, je casse ton vase Ming en mille morceaux !

Les pneus de la voiture crissèrent sur le gravier. Stella franchit le porche et s'engagea dans l'allée bordée de rhododendrons qui menait au cœur de la propriété.

A chaque fois qu'elle rendait visite à Claire, elle tombait sous le charme de sa maison. C'était une grande bâtisse blanche percée de hautes fenêtres et soutenue par de larges colonnes. Une telle majesté l'enveloppait qu'on s'attendait presque à trouver deux gardes en armure de chaque côté de la porte d'entrée. Le domaine avait autrefois appartenu à une vedette du cinéma muet et Claire l'avait racheté il y a quinze ans pour le redécorer selon son goût.

Stella gravit le perron de marbre blanc et s'arrêta une seconde pour respirer l'odeur de vanille et de jasmin qui provenait du jardin exotique. Le lourd battant de chêne était fermé. Elle frappa. N'obtenant aucune réponse, elle tourna la poignée et pénétra dans un grand vestibule décoré de plantes vertes.

— Claire ! appela-t-elle d'une voix haut perchée. Tu es prête ? Je meurs de faim !

Une femme vêtue d'un uniforme gris vint à sa rencontre.

— Bonjour, Edna, dit Stella avec un large sourire. Où est Claire ? Je n'ai vraiment pas le courage de courir dans toute la maison pour la trouver !

— Elle s'habille, mademoiselle Gordon, répondit la gouvernante.

Elle avait une voix chantante empreinte d'un fort accent britannique.

— Elle va descendre dans une minute. Désirez-vous boire quelque chose en l'attendant ?

— Oui, un Perrier. Il fait si lourd dehors.

Elle suivit Edna dans le salon et se laissa tomber dans un divan moelleux en cuir souple.

— Edna, savez-vous où nous allons ce soir, Mme Thornton et moi ?

— A un match de base-ball, je crois, mademoiselle Gordon.

Elle décapsula la mini-bouteille et proposa une rondelle de citron.

— Et qu'en pensez-vous ?

Edna sourit en pinçant légèrement les lèvres.

— Oh ! moi, je préfère le cricket.

Elle tendit le verre à Stella et ajouta :

— Au moins, c'est un sport civilisé !

Stella éclata de rire. Edna avait été au service de lord et lady Westbrook, une riche famille anglaise dont le titre de noblesse remontait au roi Richard, avant d'être engagée par Claire Thornton. Mais en acceptant cette nouvelle situation, elle s'était juré de ne jamais s'américaniser. Edna avait des principes très stricts qu'elle n'aurait jamais songé à remettre en question. Elle éprouvait cependant une vive sympathie pour Stella et une complicité naturelle s'était établie entre elles.

— Vous imaginez Claire, assise dans les gradins au milieu d'une foule de supporters en train de regarder ces grands enfants courir après une balle !

L'image fit sourire Edna.

— Je crois tout de même, mademoiselle Gordon, que ce n'est pas aussi simple que cela.

Stella eut un geste évasif.

— Bien sûr, il y a le lanceur, le batteur qui doit atteindre la première base et... c'est à peu près tout ce que je sais.

Elle haussa les épaules et but une gorgée d'eau gazeuse avant de poursuivre :

— Aucune importance de toute manière. Claire s'imagine qu'en voyant ce Bruce Jones en pleine action, je vais avoir une foule d'idées pour le film publicitaire.

Elle soupira.

— Pour le moment ce dont j'ai besoin, c'est d'un bon repas. Je n'ai rien mangé de la journée.

— On achètera des hot dogs et de la bière au stade ! s'écria Claire qui entrait dans le salon.

Stella se retourna vivement et étouffa un éclat de rire en voyant son amie vêtue d'un pantalon de toile fine, d'un corsage imprimé et chaussée d'une paire d'escarpins de daim bleus.

— Nous allons à un match de base-ball, Claire, pas à un vernissage !

— Vraiment ?

Claire ouvrit son sac en crocodile pour s'assurer qu'elle n'avait rien oublié, puis donna le signal du départ.

— En route, Stella ! Je ne veux pas manquer le début. Bonne nuit, Edna.

Stella termina son verre et se hâta de la rejoindre dans le vestibule.

— Arrêtons-nous en chemin pour manger un morceau, suggéra-t-elle. Ce n'est pas bien grave si on prend le match en cours. Par contre, manquer le premier acte d'une pièce de théâtre...

Elle jeta sur Claire un regard implorant et ajouta :

— Je sens que je vais me trouver mal si je ne grignote pas quelque chose.

Claire esquissa un sourire ironique.

— Tu es une sacrée comédienne, tu sais. Tu devrais songer à passer de l'autre côté de la caméra un de ces jours !

Elle s'installa dans le coupé Datsun et boucla sa ceinture de sécurité.

— Tout ce qu'on aura le temps d'avaler, c'est un hot dog, reprit-elle tandis que Stella affichait une mine contrite. Il faut quarante-cinq minutes pour se rendre au stade !

Stella mit le contact et enclencha la première sans protester davantage. Quand Claire Thornton avait une idée en tête, il était inutile de discuter...

Une demi-heure plus tard, elles cherchaient une place de parking. Une file impressionnante de voitures roulaient au pas dans les allées tandis qu'une foule de plus en plus nombreuse déferlait vers les guichets. Stella commentait le tournage d'un spot publicitaire qui avait eu lieu la veille.

— Le gosse était parfait. Il avait compris dès la première prise. Les deux acteurs en revanche ne sentaient absolument pas la scène. J'ai dû la leur faire recommencer une douzaine de fois !

Elle poussa un cri de joie en découvrant enfin une place libre et fit une marche arrière pour se ranger.

— Je voudrais que tu voies ce clip dès demain, dit-elle après avoir coupé le moteur.

— Toi, tu as une idée derrière la tête !

— Je sais que tu es en train de faire le casting du téléfilm : *Famille en détresse*, et je crois que ce gosse serait parfait pour le rôle du plus jeune fils. Il est vraiment doué.

Claire eut un sourire conciliant.

— Entendu, je jetterai un coup d'œil sur ton chef-d'œuvre.

Elles se mêlèrent ensuite à la cohue des supporters et se laissèrent entraîner jusqu'à l'entrée du stade. L'atmosphère était étouffante, saturée d'odeurs de transpiration, de fumée de cigare et d'asphalte chaud. Los Angeles au mois d'août ! Le ciel s'obscurcissait et les puissants projecteurs trouaient l'ombre de leurs faisceaux blafards. Les deux amies suivirent la foule à travers un large couloir placardé d'affiches annonçant les matchs à venir. Stella eut un haut-le-cœur en respirant les effluves de viande grillée, de bière et de pop-corn.

— Sais-tu où nous allons, au moins ?

— Je sais toujours où je vais, répondit Claire.

Elle tourna brusquement sur la gauche, Stella lui emboîta le pas ; elles montèrent alors quelques marches et débouchèrent tout à coup au beau milieu des gradins inondés de lumière. Le bruit des cornes et des trompettes retentissait déjà. Des vendeurs ambulants circulaient dans les allées avec des corbeilles pleines de sandwichs et de boissons en tout genre. Des spectateurs survoltés hurlaient leur enthousiasme et brandissaient des fanions en gesticulant. Stella avait l'impression que l'air, électrifié, déferlait sur le stade en de gigantesques vagues menaçantes. Un sentiment de curiosité la saisit. Ces milliers de gens entassés autour d'une pelouse l'intriguaient soudain au plus haut point. Elle n'avait jamais rien vu de pareil.

— C'est incroyable ! s'exclama-t-elle. Cette foule en délire ! Est-ce toujours ainsi ?

— Les Pirates sont les champions de la saison, répondit Claire. Ils sont en tête de leur division avec trois matchs d'avance. L'enjeu est gros et c'est normal qu'ils déchaînent de telles passions.

— Dis-moi, tu connais ton sujet à fond !

Elles s'esclaffèrent et continuèrent à descendre les gradins en se frayant un chemin parmi la cohue des spectateurs.

Stella observait les visages qui l'entouraient avec une avidité grandissante. Son œil, entraîné à saisir les détails insolites, les angles de vue inhabituels, parcourait le public avec attention. Deux sexagénaires assis sur des chaises pliantes discutaient âprement de la valeur de tel ou tel joueur. Plus loin, un gamin coiffé d'une casquette aux couleurs des Pirates prenait des paris sur le score final au milieu d'une bande d'adolescents surexcités.

— Là ! s'écria-t-elle. C'est Brighton Boyd ! C'est lui, non ?

Claire se retourna et aperçut le célèbre acteur qui grignotait des amandes salées, assis à côté d'une superbe jeune femme blonde.

— Voilà nos places, dit-elle.

En s'avançant dans la travée, elle fit un signe de la main à Brighton Boyd qui lui répondit avec un sourire, puis elles s'installèrent sur leurs sièges.

— Nous serons très bien ici, dit Claire d'un air satisfait. Regarde, nous sommes juste au-dessus de la troisième base !

Stella hocha la tête. Elle songeait que si elle devait jamais réaliser une publicité qui traite du base-ball, ce n'était pas le match qu'elle filmerait mais la foule. Elle visualisait déjà ses effets. Tout d'abord, un plan panoramique sur les gradins noirs de monde, avec le son au minimum, puis elle augmenterait progressivement le volume jusqu'à ce cri jailli de la foule, ce tumulte de voix, de sifflets, de trompes. Le résultat serait saisissant.

— Tu as toujours faim ? demanda Claire.

Elle lui tendit un hot dog qu'elle venait d'acheter.

— Merci.

Elle mordit dans le sandwich puis regarda le petit cercle tracé à la chaux sur le sol, quelques mètres en contrebas. C'était donc cela la troisième base, la place du fameux Bruce Jones !

D'un seul coup, la foule se leva en poussant une immense clameur. Les Pirates pénétraient sur le terrain en file indienne. Ils prirent leur position, saluant les supporters qui les acclamaient. Ils portaient un maillot blanc, chatoyant, et une casquette bleue à longue visière. Stella leur trouvait un air héroïque, comme ces guerriers antiques qu'elle admirait lorsqu'elle était enfant.

Bruce lui tournait le dos. Il aplanissait la terre autour de sa base, piétinant le sol et sautillant sur place. Il était grand, mince, large d'épaules et d'une étonnante élégance dans chacun de ses mouvements. Stella s'appuya sur la rambarde, le menton dans la main, et attendit d'en découvrir davantage. Cette histoire devenait extraordinairement intéressante !

En tout cas, svelte comme il était, Bruce devait avoir un chic fou dans n'importe quel jean, et a fortiori dans ceux de Di Marco ! Stella se perdit alors dans ses pensées et elle sentit une étrange sensation se répandre dans son corps. Elle était impressionnée par cette façon qu'il avait de marcher en se balançant imperceptiblement : une démarche de félin, de fauve à l'affût. Elle sursauta, surprise par l'idée farfelue qui venait de la traverser. Non, Bruce Jones était un homme, rien qu'un homme.

Le jeu commençait maintenant et Stella, sans même y prendre garde, retenait son souffle, observant Bruce avec une attention soutenue. Il évoluait avec souplesse, presque naturellement et sans effort, pourtant elle sentait qu'il contrôlait chacun de ses muscles et que cette apparente facilité résultait sûrement d'un entraînement intensif. Il possédait cette perfection nonchalante des danseurs, cette aisance et cette légèreté qui pouvaient transformer un être humain en une fête pour les yeux. Quelle importance s'il n'arrive pas à dire une seule réplique, pensa-t-elle, il n'a qu'à se mouvoir. Cet homme-là arriverait à vendre des maillots de bain à une tribu de Lapons !

Ses mouvements étaient empreints d'une sensualité animale, d'un charme magique, qui frappaient l'imagination de Stella. Oui, il ferait sans doute l'affaire. C'était même sûr...

L'arbitre siffla une faute. Bruce se tourna alors vers elle. Elle plongea son regard dans le sien. Son visage lui rappelait celui des guerriers qui peuplaient ses rêves d'enfant. Complètement concentré sur le jeu, les yeux vifs, les lèvres serrées, il avait un air farouche et redoutable. Stella ne savait que penser, déroutée par la fascination qu'exerçait sur elle ce visage dur et sensuel à la fois.

Quelqu'un le héla depuis les tribunes. Bruce sourit. Ses traits se détendirent alors en une expression amicale d'un charme irrésistible. Stella respira profondément.

— Que penses-tu de lui ? demanda Claire.

— Pas mal, répondit-elle, évasive ; je crois qu'il conviendra...

— D'après ce que j'ai entendu dire, nous n'avons encore rien vu !

Claire avait raison. Pendant la deuxième manche il plongea pour attraper une balle à la limite de la ligne de base. Sa rapidité, son intelligence du jeu étaient déconcertantes et, plusieurs fois, le public enthousiaste se leva pour l'applaudir. Il maniait la batte avec force et précision, marquant le point à chaque fois. Bruce jouait comme un véritable champion mais déployait une ardeur et une fougue juvéniles qui ravissaient.

Les Pirates menaient deux à un à la fin de la cinquième manche. La foule des supporters hurlait sa joie. Stella dévora un second hot dog, accoudée à la rambarde, tout en imaginant Bruce dans un ralenti cinématographique. L'effet serait percutant !

Un vent frais se mit à souffler sur les gradins,

mais l'atmosphère était étouffante sur le terrain. Le lanceur se prépara à l'action tandis que Bruce enfilait le gant et s'accroupissait derrière le batteur. La sueur dégoulinait de son dos. Il s'essuya le front du revers de la main, clignant des yeux sous les projecteurs, puis dévisagea le lanceur qui lui faisait face. Les spectateurs s'étaient tus et la tension était si grande que l'air semblait chargé d'électricité. La balle partit soudain dans un sifflement aigu, lancée avec une force incroyable. Elle manqua le batteur et arriva droit sur Bruce qui la bloqua net en tressautant sous la violence de l'impact. C'était un miracle qu'il n'ait pas été projeté en arrière ! Un tonnerre d'acclamations éclata dans les tribunes. Bruce se redressa et sourit. Son regard rencontra alors celui de Stella et s'y attarda.

Il regagna le centre du carré sans la quitter des yeux. Avec sa chevelure au vent et la teinte délicate de sa peau, elle ressemble à une princesse d'un autre siècle, songeait-il. Il sentit une sorte de vertige le prendre au creux de l'estomac. Le regard de Stella était rivé au sien. Elle ne cillait pas, ne rougissait pas ; elle le fixait avec intensité, sans sourire, comme si elle l'étudiait à des fins expérimentales. A la fois intrigué et irrité, Bruce se détourna pour se placer sur le coin du diamant.

Bruce pensait encore à elle pendant la mi-temps, alors qu'il était assis dans les vestiaires parmi ses équipiers. La partie était loin d'être gagnée pour les Pirates et il fallait absolument qu'ils prennent des points d'avance pour la finale. La presse avait trop parlé d'eux et de leur supériorité de jeu, les mettant ainsi sur la sellette. Ils ne pouvaient plus se permettre de décevoir leurs supporters. Bruce promenait son regard sur les hommes épuisés qui reprenaient leur souffle, mais ce qu'il voyait réellement, c'était cette jeune femme aux cheveux roux, assise dans les gradins, juste au-dessus de la troisième base.

Pourquoi l'avait-elle regardé avec cette insistance ? On aurait dit qu'elle le jaugeait. Il laissa échapper un juron et empoigna solidement la batte. Il ferait mieux de l'oublier un peu et de se concentrer sur le jeu. Les Rangers avaient marqué deux points au cours de la septième manche. Si jamais ils égalisaient, les Pirates risquaient de perdre leur place en tête de division.

Le lanceur était en position. Bruce, d'un mouvement des hanches et des épaules, pivota lentement en faisant tournoyer la batte au-dessus de lui. A ce moment précis, son regard fut irrésistiblement attiré vers la droite. En vain il tenta de chasser de son esprit l'image de la jeune femme. Elle ne ressemblait pas à ces filles hystériques qui hurlaient et trépignaient quand il réussissait à prendre une base à l'adversaire. Alors, que lui voulait-elle et qui était-elle ?

Bruce manqua la première balle qui passa trop haut. La foule se mit à siffler, réclamant un coup de batte spectaculaire. Il attendit calmement que le lanceur soit prêt pour un second lancer. La tension commençait à monter mais il avait cette faculté de conserver son sang-froid en toutes circonstances, qui faisait de lui un joueur hors pair. La seconde balle arriva comme un boulet de canon. Il évalua la distance instantanément, leva la batte et frappa de toutes ses forces. Ce coup-là était le bon, il le sut en entendant le son mat du cuir contre le bois. Le lanceur leva la tête et regarda la balle voler au-delà des tribunes.

Bruce lâcha la batte et se mit à courir autour des bases tandis que le public l'encourageait de ses cris. Il retrouvait toujours le même enthousiasme d'enfant lorsqu'il frappait une longue balle et s'engageait dans le sentier de l'adversaire, rapide comme l'éclair. Il fit un tour complet des bases puis en entama un deuxième. Il entrevit celle qui ne cessait de le suivre du regard, le menton appuyé au creux de la main, tandis que tout le monde hurlait de joie. Elle était d'un calme et d'une passivité qui exaspéraient Bruce et le désarmaient. Agacé, il détourna les yeux et boucla le troisième tour, puis, hors d'haleine, il se laissa porter en triomphe par ses équipiers. Cependant, pour la première fois, quelque chose troublait son bonheur, un fait en apparence insignifiant qu'il ne parvenait pas à comprendre. Cette femme qu'il ne connaissait pas avait le don de le mettre en colère et de lui gâcher son plaisir.

Claire battait des mains, éblouie par la performance de Bruce. Elle se pencha vers Stella.

— Tu as vu, s'écria-t-elle, il est formidable ! Elle héla un vendeur ambulant puis ajouta :

— Il n'arrêtait pas de te regarder.

Stella s'abstint de répondre, ne voulant pas convenir qu'une certaine émotion s'était emparée d'elle. A chaque fois qu'il l'avait dévisagée, son cœur s'était mis à battre follement mais elle devinait que s'il était beau et talentueux, il devait aussi être cruel !

— Tu veux un Coca ? demanda Claire.

Stella prit la bouteille.

— Merci, dit-elle. J'espère qu'il sera aussi à l'aise devant la caméra.

Claire éclata de rire.

— Je crois qu'il l'est partout. Ce n'est pas ton impression ?

Stella se contenta de hausser les épaules. La huitième manche venait de se terminer et les Pirates, avec deux points d'avance, étaient sûrs de la victoire. Mais elle ne prêta plus aucune attention au score ni aux autres joueurs. Stella suivait le champion des yeux. Elle tentait d'analyser ce qui le rendait tellement sensuel afin de l'utiliser dans le clip publicitaire. Non seulement il ferait vendre les jeans Di Marco, mais il leur donnerait son empreinte, sa griffe.

En pensée, elle le vit manier la batte, habillé tout en cuir... ou courir dans les vagues, simplement vêtu d'un jean. S'il était assez conciliant, elle tournerait peut-être une scène où il serait en compagnie d'une jolie fille. Toutefois, elle ne voulait pas tomber dans le cliché habituel. Non, ce qu'elle désirait vraiment, c'est qu'à travers ce film publicitaire toutes les femmes rêvent de Bruce Jones tandis que tous les hommes s'identifieraient à lui.

Stella reporta son attention sur le terrain. La balle, frappée trop fort, piquait sur les tribunes. Bruce traversa le carré à toute vitesse pour venir s'arrêter au pied des travées tandis que la balle se perdait dans la foule. Il était maintenant à deux pas de Stella. La sueur coulait sur son visage, il avait très chaud. Leurs yeux se rencontrèrent à nouveau. Interdite, elle soutint son regard. A vrai dire, pour Stella, la curiosité l'emportait sur tout autre sentiment. Derrière eux, les ovations des supporters reprenaient de plus belle. Quelqu'un brandissait la balle comme un trophée en scandant le nom des Pirates.

Furieux, Bruce regardait fixement la jeune femme.

— Votre nom ? demanda-t-il à mi-voix.

Il avait cet air farouche et redoutable qu'elle lui avait vu tout à l'heure. Elle s'efforça cependant de lui répondre d'un ton posé :

— Stella.

— Stella...

Il répéta son prénom et laissa sa phrase en suspens. La jeune femme haussa les sourcils, surprise par la rudesse de sa voix.

— Stella Gordon, reprit-elle sans se départir de son calme. Le match est terminé ?

Il plissa les paupières avec un sourire énigmatique.

— Oh ! non. Il ne fait que commencer...

Chapitre 2

Stella attendit son appel. Après tout, il connaissait son nom. Il n'avait qu'à ouvrir un annuaire
pour trouver son numéro. Mais il ne lui serait
jamais venu à l'idée qu'il puisse le faire à six
heures, un dimanche matin. C'est pourtant ce qui
arriva.

Elle se redressa sur un coude, les yeux lourds
de sommeil et décrocha le combiné.

— Stella Gordon ? dit une voix.

— Hmmm...

— C'est Bruce Jones à l'appareil.

Elle sursauta, brusquement tirée de sa torpeur.
L'aube pénétrait timidement dans la chambre et,
dehors, les premiers chants d'oiseaux saluaient le
jour naissant.

Stella jeta un coup d'œil à son réveil.

— Qui êtes-vous ? demanda-t-elle d'une voix
pâteuse.

— Bruce Jones, répéta-t-il avec impatience.
Souvenez-vous... les Pirates.

Elle étouffa un bâillement, remonta son oreiller dans son dos.

— Oui, je vois, dit-elle simplement.

Un sourire malicieux se dessina sur son visage.

— Ecoutez, j'aimerais vous voir. Je quitte New
York cet après-midi, sitôt le match terminé. Si
nous soupions ensemble ?

Bruce arpentait sa chambre d'hôtel tout en se

demandant ce qui le poussait à agir et pourquoi diable il n'y mettait pas un peu plus de style.

Tout à fait réveillée à présent, Stella examinait sa proposition. C'est bien lui, pensa-t-elle. Il croit sans doute que je n'ai rien d'autre à faire que d'attendre son bon vouloir. Son premier réflexe fut de décliner froidement son offre, mais elle se ravisa.

— Eh bien, dit-elle d'un ton indécis, peut-être... A quelle heure ?

— Je passe vous chercher à neuf heures, répondit-il sans tenir compte de son hésitation.

Bruce ne cessait de penser à elle depuis qu'il l'avait rencontrée et il lui fallait absolument savoir pourquoi.

— J'ai votre adresse.

— Très bien. Alors, à plus tard.

— Au revoir.

Il raccrocha brusquement. Stella se renversa dans son lit en souriant.

Quand l'heure du rendez-vous approcha, elle était toujours de bonne humeur. Bruce Jones occupait toutes ses pensées. Dommage que les renseignements qu'elle avait obtenus sur lui n'aillent pas au-delà des performances sportives et des rapports de la ligue. Que dirait-il s'il savait qu'il emmenait dîner celle qui allait le diriger lors du tournage de son film. Elle présumait qu'il ne serait guère séduit lorsqu'il apprendrait la nouvelle. De toute manière, avant de commencer à travailler avec lui, elle devait reprendre ses esprits.

Enroulée dans une serviette-éponge, Stella réfléchissait à ce qu'elle allait porter pour sortir.

Elle n'acceptait pas souvent d'invitation car son expérience passée la conduisait plutôt à fuir le charme et la séduction d'hommes tels que Bruce.

Elle n'avait que dix-sept ans lorsqu'elle avait rencontré le premier homme qui lui ait plu. Il en avait vingt-deux et s'apprêtait à quitter l'université. Stella travaillait alors comme serveuse dans un restaurant et Clark — c'était son nom — était venu dîner un soir. Il se montra plein d'humour, prévenant, généreux et elle consentit à aller au cinéma avec lui. Quelques jours plus tard, ils pique-niquèrent dans le parc. Clark avait décidé de passer l'été à flâner avant de chercher une situation.

Il était originaire de Boston, issu d'une famille influente et conservatrice. Son père avait des ambitions pour lui mais Clark ne s'en souciait guère pour le moment, préférant prendre du bon temps. Il avait besoin de liberté, disait-il, besoin de connaître le monde avant de choisir une carrière.

Stella était jeune et en quête d'affection, aussi prit-elle tout ce qu'il lui disait pour argent comptant. Impressionnée par une éducation qu'elle aurait aimé recevoir elle-même, elle le crut sur parole lorsqu'il lui avoua combien il la trouvait belle et séduisante. Ils passèrent de longues journées sur la plage, s'amusant comme des enfants; Stella n'avait jamais été aussi heureuse.

Quand il lui proposa de venir vivre avec lui, elle accepta avec enthousiasme sans se soucier du fait qu'ils n'avaient qu'un seul salaire pour vivre, le sien. Pendant trois mois, elle travailla comme

28

une forcenée pour économiser de l'argent pendant que Clark poursuivait ses études par correspondance, refusant systématiquement toute offre d'emploi. Stella l'approuvait cependant ; selon elle, il était trop intelligent pour accepter n'importe quel travail subalterne. Elle avait la certitude que lorsqu'il trouverait enfin une situation à la mesure de ses capacités, il n'aurait aucun mal à faire son chemin.

Il avait vaguement parlé de mariage et la perspective d'une maison pleine d'enfants enchantait déjà Stella. Le soir, en s'endormant, elle songeait à l'avenir avec confiance et la joie qui l'envahissait alors balayait aussitôt la fatigue de la journée. Mais Clark, lui, vivait pour l'instant présent. Le lendemain était toujours trop loin, à son goût. Quand il avait un projet en tête, il manifestait une impatience et une fébrilité enfantines qui allaient parfois jusqu'au caprice.

Un soir, comme elle rentrait tard du restaurant, Stella ne le trouva pas. Il était parti, emportant la télévision et la chaîne stéréo qu'elle s'était offertes au prix de nombreux sacrifices. Il avait laissé un mot pour elle sur la table.

« Stella,

« Mes parents m'ont appelé aujourd'hui. Ils me pressent de prendre une décision. J'aurais dû te parler plus tôt sans doute, mais je ne pensais pas que les événements se précipiteraient ainsi.

« Je vais épouser Shelley, une de mes cousines. Nos familles tiennent beaucoup à ce mariage. Je sais que ce projet risque de te paraître vieux jeu, mais que veux-tu, on ne peut rien contre les traditions. Je suis plus ou moins fiancé à Shelley

29

depuis deux ans, cependant comme elle était encore à l'université, je pensais que nous avions le temps de réfléchir. Maintenant, je suis décidé. Pardonne-moi. Je vais intégrer l'entreprise familiale en tant qu'adjoint à la direction. Je ne peux m'opposer à ma famille, d'autant qu'on ne cesse de me répéter que je suis l'unique héritier.

« Encore une fois, je suis désolé de te causer du chagrin. J'ai été très heureux avec toi, je veux que tu le saches. J'espère que tu comprendras mon choix même si tu ne l'approuves pas. Excuse-moi d'avoir pris la télévision et la chaîne stéréo. Je n'avais pas suffisamment d'argent pour payer mon billet d'avion et il m'était difficile d'expliquer à mes parents que je n'avais plus un sou.

« J'aurais souhaité qu'il en soit autrement, mais je suis au pied du mur. Tu es une fille épatante, Stella, et je sais qu'un jour tu trouveras le bonheur.

« Clark ».

Elle dut lire la lettre deux fois avant de comprendre vraiment ce qui lui arrivait. Il était parti, bel et bien parti ! Elle était à nouveau seule. Parce qu'elle n'avait pas fait d'études et qu'elle n'avait pas une riche famille à Boston, Clark la rejetait.

Stella pleura toutes les larmes de son corps. Ses espoirs et ses rêves lui étaient subitement arrachés. Elle n'avait plus rien, plus personne...

Elle déchira la lettre de Clark en mille morceaux et décida de se ressaisir sans perdre de temps. Puisqu'elle ne pouvait plus compter que sur elle-même, elle allait montrer à tout le monde de quoi elle était capable.

Les jours passèrent. Stella sentait grandir en elle une force nouvelle. Si elle voulait sa place au soleil, il lui fallait la conquérir par sa seule volonté et se méfier de cette naïveté, de cette innocence qui l'avaient entraînée à se laisser abuser de la sorte.

Tandis qu'elle se promenait en ville, un après-midi, ses pas la conduisirent jusqu'aux bureaux des productions Thornton. Il lui restait en tout et pour tout douze dollars. Le moment ou jamais de tenter sa chance ! Elle s'était présentée au bureau du personnel et en était ressortie avec un emploi.

Pour débuter, elle n'était guère mieux payée que dans la restauration mais elle pouvait espérer progresser et accéder un jour à une meilleure situation... Que de chemin parcouru depuis dix ans !

Stella chassa ces pensées de son esprit et se concentra sur sa toilette. Elle choisit une robe noire assez classique, mais d'une élégance raffinée, qu'elle portait habituellement lors des cocktails professionnels. C'était tout à fait ce qu'il fallait pour cette soirée avec Bruce Jones.

Tandis qu'il suivait la route, à travers les collines, celui-ci se remémorait les événements des derniers jours. C'était bien la première fois qu'il se laissait distraire pendant un match et, surtout, par une inconnue. Elle l'avait agacé alors qu'ils n'avaient échangé que quelques mots et, pourtant, il l'avait appelée de l'autre bout du pays pour lui fixer un rendez-vous ! Pendant le trajet en avion il n'avait cessé de penser à elle, essayant d'imaginer qui elle était. Sûrement un mannequin ou une actrice. Il accéléra à la sortie d'un virage et sourit. Encore une de ces starlettes écervelées ! Non, il se trompait peut-être. Il se rappelait maintenant sa voix, pareille au murmure d'une rivière, et ses grands yeux gris, mystérieux. Décidément, il ne savait pas sur quel pied danser avec cette jeune femme...

Un lapin jaillit d'un buisson et s'immobilisa au milieu de la route, paralysé par la lumière des phares. Bruce donna un brusque coup de volant. La voiture fit une embardée sur le bas-côté. Il poussa un juron, braqua dans l'autre direction tandis que les pneus dérapaient dans la boue. La MG bondit nerveusement sur la chaussée. Il poussa un soupir de soulagement. Son amour des animaux finirait par lui coûter cher ! Son père n'avait jamais compris qu'il puisse avoir la passion des bêtes, mais il est vrai qu'il ne l'avait jamais accepté tel qu'il était et encore moins lorsqu'il avait opté pour le base-ball plutôt que pour l'industrie pétrochimique.

Il ralentit et prit, sur la droite, un petit chemin bordé de jeunes pins. S'il ne s'était pas trompé, il était presque arrivé. L'endroit était d'un calme extraordinaire, à peine troublé par le chant des cigales et des criquets. Un vrai petit paradis à une demi-heure de Los Angeles. Il rangea sa voiture derrière celle de Stella et coupa le moteur.

La maison était assez petite, tout en vitres et en aluminium, résolument moderne, mais pleine de charme. Une terrasse courait autour et donnait sur un jardin dont l'aspect quasi sauvage conférait à l'ensemble un air de magie et d'enchantement. Un chien aboya au loin. Il s'avança dans l'allée, respirant l'air chaud et parfumé de cette belle soirée d'été. La sérénité de l'endroit lui faisait presque regretter d'avoir à retourner en ville pour dîner.

Bruce actionna le heurtoir en forme de tête de sanglier et attendit. Lorsque Stella ouvrit la porte, il eut peine à dissimuler son émotion. Sa robe de soie noire rehaussait la texture fine et délicate de sa peau. Elle portait un collier d'argent ciselé et ses cheveux coiffés en arrière tombaient dans son dos en une cascade couleur de feu. Ses paupières étaient légèrement ombrées de bleu mais le reste de son visage ne montrait aucune trace de maquillage. Un parfum subtil flottait autour d'elle, évoquant dans l'esprit de Bruce les charmes secrets de l'Orient.

— Bonsoir ! dit-elle en lui tendant la main.

Stella s'efforçait d'avoir l'air naturel. Elle ne s'était pas attendue à ce qu'il produise un tel effet sur elle et son cœur battait la chamade tandis qu'elle le dévisageait. Il était vêtu d'un costume bleu nuit, d'une coupe impeccable, qui mettait en valeur son corps athlétique. Son visage plongé dans la semi-pénombre lui semblait tout à coup plus beau et plus racé que dans son souvenir. Elle avait projeté de lui offrir un verre, mais elle hésitait à présent. Peut-être valait-il mieux qu'ils ne se retrouvent pas seuls, tous les deux dans l'intimité de sa maison.

— Je... meurs de faim, dit-elle avec précipitation. Nous y allons ?

Sans même attendre sa réponse, elle claqua la porte derrière elle.

Bruce conduisait vite, mais avec une dextérité

et une aisance de champion automobile. Stella s'était renversée sur son siège et fermait les yeux. Elle aimait cette sensation de vitesse, de vertige, et s'y abandonnait avec une indicible joie.

— Que faisiez-vous au stade l'autre soir ?

Le sourire de Stella se figea sur ses lèvres. Elle répondit cependant d'un ton posé :

— Une amie avait deux billets et elle a pensé que le spectacle pourrait m'intéresser.

Bruce secoua la tête. Son regard était ironique à présent.

— Cela vous a plu ?

— Beaucoup, oui. Je m'attendais à m'ennuyer mais...

— Pourtant si je me souviens bien, vous n'aviez pas l'air très enthousiaste, répliqua-t-il sans lui laisser terminer sa phrase. Pourquoi me dévisagiez-vous avec tant d'insistance ?

Elle hésita puis décida de dire la vérité.

— J'admirais votre carrure.

Une lueur d'amusement traversa les yeux de Bruce, tandis qu'elle se tournait vers lui pour juger de l'effet de ses paroles.

— C'est pour cette raison que vous avez accepté mon invitation à dîner ?

Stella éclata de rire.

— Non, c'est parce que tous les soirs à la même heure j'ai faim. Et vous, pourquoi m'avez-vous proposé cette sortie ?

— Ce n'est pas tous les jours qu'une femme vous regarde comme si vous étiez une œuvre d'art !

Il lui jeta un bref coup d'œil.

— Et puis votre visage m'a séduit. Vous sortez de l'ordinaire.

Elle haussa les sourcils. Sans le savoir, il venait sans doute de lui adresser le plus beau compliment qu'elle ait jamais entendu d'un homme.

— Qu'est-ce qui vous pousse à parler ainsi ?

— C'est que je ne suis pas n'importe qui, non plus !

Il quitta la petite route secondaire et s'engagea sur l'autoroute. Stella remonta la vitre et rejeta ses cheveux en arrière. Dans son for intérieur, elle se dit qu'elle ferait bien d'être prudente avec cet homme-là. Le jeu pouvait s'avérer dangereux...

Ils dînèrent dans un restaurant grec, au son d'une musique exotique, servis par des garçons en tenue folklorique. L'ambiance était feutrée, détendue, et Stella apprécia la qualité de la nourriture. Après s'être versé un verre d'*ouzo*, Bruce regarda longuement la jeune femme.

— A quoi pensez-vous ?

— C'est un endroit merveilleux, répondit-elle. On se sent chez soi. J'imagine que c'est un restaurant familial. Le père aux fourneaux, la mère prépare les desserts et le fils s'occupe du service.

L'image fit sourire Bruce.

— Parlez-moi de votre famille.

Le visage de Stella s'assombrit.

— Je n'y tiens pas.

Elle avait répondu avec assez de fermeté pour qu'il n'insiste pas.

— Et la fille, demanda-t-il, quel rôle lui attribuez-vous ?

Stella plissa le front.

— Je ne vous suis pas.

— La fille de la maison. Vous m'avez parlé de tout le monde sauf d'elle.

Elle sourit.

— Je suppose qu'elle est mariée. Tenez, son mari doit être le barman. Quant à elle, elle est à la réception ; elle accueille les convives et prend les commandes.

Le garçon déposa un *souvlaki* devant Stella puis s'esquiva.

— Quelle organisation ! commenta Bruce tandis qu'il regardait la flamme de la bougie danser dans les prunelles de la jeune femme.

— C'est le secret de la réussite.

Il se pencha vers elle, un sourire aux lèvres.

— Et vous, vous êtes une femme qui réussit ?

— Oui, répondit-elle sans hésitation.

— Tout ?

— Tout ce que j'entreprends.

Elle but une gorgée de vin résiné.

— Parlez-moi de votre succès à vous !

Il eut une moue évasive.

— Tout va bien pour le moment, mais vous savez, le base-ball est un drôle de métier. Il faut du temps pour arriver au sommet, en revanche on peut essuyer des revers du jour au lendemain et la pente est alors rapide.

Avide d'en savoir davantage, Stella repoussa son assiette et croisa les mains sous le menton.

— Que faut-il faire quand on est dans une mauvaise passe ?

Il haussa les épaules.

— Changer de tactique de jeu, modifier son régime alimentaire, prier, partir dans un monastère pour un temps. Il faut tout essayer jusqu'à ce que la forme revienne.

— Qu'est-ce qui convient le mieux ?

— Un bon coup de batte !

Ils rirent tous deux puis écoutèrent un instant l'orchestre qui interprétait une vieille ballade grecque. Bruce en profita pour caresser doucement la joue de la jeune femme. Elle frissonna.

— D'où êtes-vous ? demanda-t-il.

— Je n'ai pas d'attaches.

La main de Bruce se referma sur la sienne.

— Vous êtes bien originaire de quelque part ?

Sa poigne était ferme. Il enserrait ses doigts avec force. Pourtant elle ressentit ce geste comme une caresse infiniment douce.

— Parlez-moi de vous, dit-il sans se décourager.

— Que voulez-vous savoir ?

— Pour commencer, que faites-vous dans la vie ?

— Je travaille dans la publicité. Je tourne des films.

En répondant de la sorte, elle pensa qu'il en conclurait immédiatement qu'elle était un mannequin attaché à l'une des nombreuses agences de Los Angeles. Le jeu commençait à l'amuser.

— Figurez-vous qu'on vient de me proposer à moi aussi de poser pour une marque de jean.

Son visage devint plus grave. Il reprit :

— Est-ce que cette activité vous plaît ?

— Bien sûr, sinon je ne le ferais pas.

Il hocha la tête et son regard prit une expression vague.

— En revanche, vous ne semblez guère enchanté, remarqua-t-elle.

Elle dégagea sa main.

— Exact ! Cela ne m'amuse pas d'avoir à débiter des fadaises pour le compte d'un fabricant de jeans !

Il jouait nonchalamment avec une boucle des cheveux de Stella. Son regard restait rivé au sien.

— Vous avez un visage fascinant. Quand je vous ai vue dans les tribunes, j'ai trouvé que vous aviez l'air d'une princesse du dix-huitième siècle.

Elle rit.

— Je me sens tout à fait bien dans mon époque.

Ses doigts effleurèrent sa nuque. Elle frémit mais s'efforça toutefois de dissimuler son trouble.

— Vous montez à cheval ? demanda-t-elle.

Il parut intrigué.

— Oui. Pourquoi ?

— Pour savoir. Et le deltaplane, vous aimez ?

— Mon contrat me l'interdit, ainsi que le ski et le parachutisme.

La lueur d'amusement qui brillait dans les yeux de Stella le déroutait.

— A quoi jouez-vous ?

Elle se renversa dans son siège et secoua la tête.

— A rien. Il serait peut-être temps de commander le dessert, non ?

Il approuva et, sans la quitter des yeux, appela le garçon.

Une demi-heure plus tard, ils traversaient le parking pour regagner la voiture.

— C'était délicieux, fit-elle.

38

Après avoir refermé la portière, elle étira les bras au-dessus de sa tête. Cette soirée avait été parfaite. Ils venaient de passer trois heures ensemble et pourtant ils ne savaient toujours rien l'un de l'autre. Le mystère ajoutait du piment à leur relation.

Dans quelques mois, la situation serait totalement différente. Un réalisateur devait pénétrer l'esprit de ses acteurs pour travailler correctement. Que cela lui plaise ou non, Bruce allait devoir se plier aux exigences de Stella. Mais pour le moment, elle avait décidé de ne pas se poser de questions.

Il s'assit à côté d'elle dans la voiture et prit son visage dans ses mains. Il discernait dans ses yeux cette même lueur malicieuse qui le déconcertait.

— Allez-vous enfin me dire qui vous êtes ?

Elle soutint son regard et prit un air candide pour répondre.

— Je ne sais pas encore. Vous êtes trop curieux.

— J'aimerais vous revoir.

Elle eut un sourire énigmatique.

— Comme vous voulez.

L'attitude de Stella éveilla la suspicion de Bruce. Il se doutait qu'elle s'amusait à ses dépens et cela ne lui plaisait pas. Il mit le contact et démarra. Il avait rencontré beaucoup de femmes dans sa vie, certaines froides et maniérées, d'autres explosives et exubérantes, mais Stella était unique en son genre, à la fois détachée et vulnérable. Bien que sa première intention ait été de la séduire, il se rendait compte qu'il ne pourrait se suffire d'aussi peu. Il voulait la comprendre, faire tomber le masque derrière lequel elle se cachait et découvrir sa véritable personnalité.

Ils roulèrent un instant en silence, écoutant un programme de jazz à la radio. Il avait baissé la capote de la MG et Stella, la tête renversée en arrière, regardait le ciel constellé d'étoiles. Détendue, heureuse, grisée par le vent chaud et parfumé qui caressait son visage, elle se sentait en sécurité avec lui. Il n'était pas homme à la brusquer pour obtenir un baiser. Elle ferma les yeux tandis qu'il l'observait à la dérobée et pensa à sa journée du lendemain...

Paradoxalement, ce fut le silence qui la tira de sa léthargie, un moment plus tard. La voiture était arrêtée dans l'allée et Bruce la regardait, confortablement calé dans son siège.

— Vous conduisez très bien, murmura-t-elle.

Il hocha la tête et sourit. Dans le clair de lune, sa peau paraissait presque transparente, d'une délicatesse et d'une fragilité quasi surnaturelles. Le vent l'avait décoiffée et il avait eu la vision de sa chevelure flamboyante déployée sur l'oreiller... Tôt ou tard, il en était sûr, le rêve deviendrait réalité.

— Qu'y a-t-il ? demanda-t-elle.

Ses yeux brillèrent de manière inquiétante.

— Rien, fit-il.

Il se pencha et lui ouvrit la portière. Son corps frôla celui de la jeune femme. Elle retint sa respiration et sortit sans un mot.

— J'aime cet endroit, dit-il tandis qu'ils remontaient l'allée vers la maison.

Stella s'attendait à ce qu'il prenne sa main, mais il n'en fit rien.

— J'avais une villa à Malibu autrefois, continua-t-il.

— Plus maintenant ?

— Non, il y a trop de monde. J'ai choisi d'habiter hors de la ville pour ne pas être ennuyé.

— Je n'ai pas ce problème ici.

Rien ne troublait le silence de la nuit si ce n'était le bruit cristallin du ruisseau et le frémissement des arbres sous la brise.

— Mes plus proches voisins habitent à cinq cents mètres environ, poursuivit-elle. Un couple de jeunes mariés. Je les croise de temps à autre.

Ils gravirent le petit escalier de pierre taillée qui débouchait sur la terrasse. Stella s'adossa à la porte et poussa un soupir de fatigue.

— Merci pour cette charmante soirée.

Elle lui tendit la main, espérant qu'il allait l'embrasser. Elle eut même la sensation de ses lèvres sur les siennes.

Instantanément, Bruce lut dans sa pensée. Il vit briller dans ses prunelles la flamme du désir, mais préféra la surprendre. Il prit sa main et, s'inclinant vers elle, déposa un baiser sur sa joue.

Bien qu'il l'eût à peine effleurée, elle sentit une vague de chaleur déferler dans tout son corps. Lentement et avec une infinie légèreté, il fit glisser ses lèvres dans le cou de la jeune femme. Elle poussa un faible gémissement tandis que son cœur se mettait à battre follement, puis leva vers lui ses lèvres offertes. Ignorant son attente, il remonta vers ses paupières qu'il parcourut de baisers brûlants. Etourdie, tremblante de passion contenue, elle frémit sous la caresse de son souffle. Sans même s'en rendre compte, elle s'abandonnait déjà. Ses doigts enserraient fébrilement ceux de Bruce et tout son être se tendait vers lui.

Il mordilla tendrement le lobe de son oreille, troublé par la douceur satinée de sa peau, enivré par son parfum. Il mourait d'envie de la serrer contre lui, de prendre sa bouche et de dénuder ses épaules. Au lieu de quoi, il employa toute sa volonté à résister à l'appel de ses sens. Il n'avait qu'un geste à faire, un mot à dire, et Stella se donnerait à lui, il le savait, mais il ne voulait pas brusquer l'émotion merveilleuse qui les bouleversait.

Un coyote hurlait à la lune au loin dans la montagne. Le souffle court, Stella murmura :

— Embrassez-moi ! Bruce... maintenant !

Il la pressa dans ses bras, le visage enfoui dans ses cheveux défaits tandis qu'elle l'invitait à nouveau.

— Bruce... Embrassez-moi.

Il s'écarta doucement et plongea son regard dans le sien. Les yeux de la jeune femme brillaient de désir et ses lèvres entrouvertes imploraient ses baisers. Il la contempla longuement, avec une telle intensité qu'elle eut soudain l'impression d'être nue devant lui. Elle frissonna.

— Pas encore, dit-il à mi-voix.

Puis il se retourna et marcha vers sa voiture, laissant Stella complètement abasourdie.

Chapitre 3

— Ne fais pas cette tête-là, Linda ! Tu es sur la plage, il fait beau, alors montre-moi que tu es heureuse !

Stella jeta un coup d'œil au cameraman qui lui répondit par une moue incrédule.

— Stan, lui dit-elle, tu cadres sur la pointe de ses pieds et tu remontes lentement en t'attardant sur ses jambes.

Il sourit et hocha la tête.

— Ce sera avec plaisir.

— Quelle chaleur ! soupira Linda.

Elle essuya la sueur qui perlait à son front. Allongée dans le sable, elle ne portait rien d'autre qu'un minuscule bikini à motifs tahitiens. Son corps aux mensurations de rêve était d'une belle teinte cuivrée. Juste ce qu'il fallait pour le lancement de l'huile solaire Eden. Si seulement elle y mettait un peu du sien, songea Stella. Ce n'était pourtant pas compliqué. Elle n'avait que quelques mots à dire !

— Je ne veux pas que tu transpires ! lança-t-elle. Débrouille-toi comme tu veux ! Quand on commence à filmer, tu comptes jusqu'à six, puis tu prends appui sur le coude. Après, tu regardes droit dans l'objectif, tu passes la main dans tes cheveux et tu dis ta réplique. Essaye de croire à ce que tu fais, je t'en prie !

— D'accord, mais je rôtis sur place, moi, répondit-elle avec une grimace de lassitude.

— Nous aussi, ma chérie ! répliqua Stella d'un ton acerbe.

Elle fit un signe de la main à Stan.

— Prêt ? Moteur... Action !

L'opérateur fit un zoom avant sur le mannequin. La caméra glissa sur sa jambe, remonta jusqu'à sa poitrine, puis se fixa sur son visage. Linda esquissa un sourire commercial et s'exclama :

— Vous enviez mon bronzage ? Alors, essayez Eden !

— Coupez ! s'exclama Stella d'un ton exaspéré.

Il était à peine dix heures du matin mais déjà la chaleur était insupportable et il devenait impossible de rester sur le sable brûlant. Stan dansait sur place. Il avait l'impression que les semelles de ses chaussures étaient chauffées à blanc.

Stella s'épongea le front.

— Tu n'es vraiment pas convaincante, Linda. Tu dois vendre ce produit, alors mets-y un peu du tien !

— Je voudrais t'y voir !

— Ecoute, tu as un contrat à remplir. Tu es payée pour cela, ne l'oublie pas.

Stella serra les poings, s'efforçant de garder son calme. Elle prit une profonde inspiration. Depuis cette soirée avec Bruce, elle se sentait perpétuellement sous tension et rien ne l'irritait davantage. Sa vie privée était une chose, son travail en était une autre. En outre, comment pouvait-il avoir une telle emprise sur elle, elle le connaissait si peu...

Elle s'agenouilla auprès de Linda et lui dit d'un ton conciliant :

— Je sais que ce soleil de plomb est éprouvant, mais il faut en finir avant d'attraper une insolation !

Elle lui tapota gentiment l'épaule.

— Encore une prise. Celle-là sera la bonne ! ajouta-t-elle avec conviction.

Il était plus de midi quand Stan acheva de charger l'équipement dans la camionnette. Il sortit deux sodas d'une glacière et en tendit un à Stella.

Elle pressa la bouteille contre son front brûlant avant de la décapsuler et de boire une longue gorgée.

— Je ne sais pas ce qu'elle avait aujourd'hui, mais...

Stan l'interrompit.

— Des problèmes de cœur, dit-il avec un léger haussement d'épaules.

Stella sourit.

— Décidément, tu es au courant de tout !

Il roula des yeux malicieux.

— Ce n'est pas de ma faute, je suscite les confidences. A propos, vous serez à la soirée que donne Di Marco ce soir ?

— Oui, répondit-elle, soudain songeuse.

Cette réception allait être l'occasion pour elle de revoir Bruce. Après les libertés qu'il avait prises l'autre jour, elle espérait lui faire payer son insolence.

Stan avala le reste de son soda.

— Je suis ravi de travailler avec Bruce Jones, dit-il d'une voix enthousiaste. Ce type est le meilleur batteur de la ligne !

Stella se renfrogna.

— Tant mieux pour lui...

— Vous n'aimez pas le base-ball ?

— Pas vraiment.

— Cela viendra, j'en suis sûr, dit-il avec une lueur espiègle dans les yeux. Les jeans Di Marco vont se vendre comme des petits pains. Bruce Jones est une sacrée vedette !

Stella eut un geste évasif, puis détourna la conversation.

— On y va ? J'ai un tournage au studio cet après-midi et rien n'est encore en place.

— A vos ordres, répondit Stan.

Il s'installa derrière le volant et mit le contact. Le moteur se mit à tousser, à gémir, puis démarra enfin en crachant un nuage de fumée noire.

— Tu pourrais tout de même te payer une nouvelle camionnette, non ? Celle-là n'est plus qu'un tas de ferraille.

Le cameraman caressa affectueusement le tableau de bord.

— Pas question. Cette petite chérie ne m'a jamais fait faux bond en sept ans. Je lui serai fidèle jusqu'à la fin.

Elle sourit. Stan était le seul employé de la maison Thornton qui ne la craignait pas. Il se sentait à l'aise avec elle et la jeune femme se confiait volontiers à lui. Elle connaissait sa discrétion et appréciait son jugement. De plus, Stan avait la réputation d'être l'un des meilleurs opérateurs de la côte Ouest. Rien ne lui échappait. Il avait cette compréhension intuitive du métier qui faisait de lui un précieux collaborateur.

— Il paraît que vous assistiez au match des Pirates, l'autre jour, dit-il sur le ton de la banalité.

Elle lui jeta un regard perçant.

— Et alors ?

— Oh, rien. J'ai vu Brighton Boyd avant-hier à un cocktail. J'ai été assistant cameraman pour l'un de ses films. Il m'a dit qu'il était à côté de vous dans les tribunes.

Stella jeta négligemment la bouteille vide sur la banquette arrière.

— C'est vrai, dit-elle seulement.

— C'est un supporter acharné des Pirates. Il m'a raconté l'exploit de Jones. Ce fameux coup de batte dont tous les journaux ont parlé.

Elle ne répondit pas, mais alluma la radio qu'elle régla sur un programme de musique rock.

Stan poursuivit comme si de rien n'était.

— A en croire Brighton, Jones ne vous quittait pas des yeux.

— Tiens, tiens, fit-elle en regardant défiler le paysage.

— Il paraît même qu'il est venu vous parler...

Stella se tourna brusquement vers Stan.

— C'est un interrogatoire ?

Il secoua la tête avec un large sourire.

— Sûrement pas.

Elle éclata de rire malgré elle et étendit les jambes. Si elle ne satisfaisait pas la curiosité de

Stan, il s'imaginerait sans doute des choses qui n'existaient pas.

— Il voulait simplement savoir mon nom.

— Et puis ?

— Rien de plus.

Stan eut un sourire amusé.

— Vous avez dîné avec lui ?

Elle poussa un soupir de découragement.

— Ce que tu peux être agaçant, Stan !

— Parce que je pose les bonnes questions ?

— C'est vrai. J'ai dîné avec lui, mais il ne s'est rien passé d'autre.

Il haussa les sourcils.

— Il n'est pas si terrible qu'il en a l'air alors ! A moins que vous ne lui ayez fait peur. Après tout, vous allez être le boss sur le plateau. Il va devoir vous obéir !

— Il n'est pas au courant.

— Comment cela ?

— Je ne lui ai pas dit que c'était moi qui mettais en scène le spot publicitaire pour Di Marco.

— Voilà qui change tout, fit pensivement Stan.

— Je me suis contentée de l'observer. Cela m'a donné des idées de plans pour le film.

Il acquiesça.

— Maintenant, tais-toi et conduis ! Je me moque bien que ce Jones soit un superchampion ; tout ce que je lui demande, c'est de ne pas avoir l'air trop stupide devant la caméra.

Stan se tut, mais une lueur narquoise s'alluma dans ses yeux.

— De toute manière, reprit-elle, il est vaniteux, impoli et d'une froideur déconcertante.

48

— Quelle soirée vous avez dû passer !

— Je n'ai pas envie d'en parler, répliqua-t-elle sèchement.

— Comme vous voudrez.

Cependant elle ne put s'empêcher d'ajouter :

— C'est le genre d'homme qui se croit tout permis sous prétexte qu'il est relativement attirant, qu'il n'est pas bête et que la chance lui a souri.

Stan hocha la tête d'une manière expressive.

— Il faut reconnaître qu'il y a pire comme combinaison !

La jeune femme lui décocha une œillade incendiaire.

— Vous êtes tous pareils ! marmonna-t-elle.

La villa de Di Marco valait le déplacement. Stella fut saisie d'admiration. La propriété de Claire n'était rien en regard de cette magnifique résidence qui comprenait deux corps de bâtiment reliés entre eux par une galerie fleurie de plantes tropicales. Dans la cour centrale, des bassins disposés en escalier, agrémentés de jets d'eau et de cascades, descendaient vers un jardin exotique étonnant.

La jeune femme entendait au loin le son cristallin des harpes et des mandolines auquel se mêlait le murmure confus des conversations. Les invités discutaient par petits groupes, sous la véranda et sur la terrasse. Les femmes étaient en robe du soir, parées de diamants qui étincelaient sur leur peau brune. Toute l'élite d'Hollywood se trouvait là.

Stella traversa la grande salle et se dirigea

droit vers le buffet qui avait déjà subi un premier assaut et que des serveurs en livrée blanche étaient en train de regarnir.

Elle goûta les toasts à la mousse de saumon et quelques petits fours. Le tout provenait bien sûr de chez le meilleur traiteur de Los Angeles.

— Toujours aussi gourmande ! s'exclama quelqu'un derrière elle.

Prise en flagrant délit, Stella se retourna.

— Bonsoir, Claire, dit-elle. Merveilleuse soirée, n'est-ce pas ?

Son amie esquissa un sourire ironique.

— Je suppose que tu juges cela à la qualité du buffet !

Elle détailla sa collaboratrice d'un œil expert. Stella était vêtue d'un ensemble de daim beige et portait à la taille un large ceinturon fermé par une boucle de cuivre. Ses cheveux ramenés en arrière étaient attachés par une lanière assortie à son tailleur. Comme à son habitude, elle était à peine maquillée, avec juste une ombre de bleu sur les paupières.

— Tu es très en beauté, dit Claire.

Stella prit un ultime toast au caviar.

— Toi aussi, répliqua-t-elle.

Claire était d'une élégance classique et raffinée, habillée d'une robe de soie imprimée décolletée dans le dos.

— Je meurs de soif à présent, fit Stella. Où est le bar ?

Comme par enchantement, un garçon en veste rouge apparut alors avec un plateau couvert de coupes de champagne.

Claire sourit en trempant les lèvres dans son verre.

— Les Di Marco sont des gens très à cheval sur les principes et...

Stella l'interrompit.

— Tu as peur que je me conduise mal, n'est-ce pas ? Rassure-toi, tu n'auras pas à rougir de moi !

— L'agent de Bruce Jones est ici. J'aimerais que tu le rencontres.

Stella s'était emparée d'une assiette qu'elle commença à garnir de petits fours.

— Je déteste parler affaires le ventre vide !

Son regard s'assombrit brusquement.

— Mon Dieu, voilà Vera, murmura-t-elle entre ses dents. J'aurais dû me douter qu'elle viendrait. Elle ne manque pas une occasion de se faire remarquer !

Elle répondit poliment au sourire figé du mannequin, une blonde vaporeuse maquillée à outrance. Les deux jeunes femmes avaient souvent travaillé ensemble par la force des choses, mais elles avaient éprouvé dès leur rencontre une vive antipathie qui n'avait cessé de se développer depuis.

— Rentre tes griffes, lui souffla Claire. Di Marco va très certainement l'engager.

La réaction de Stella fut instantanée.

— Alors ce sera elle ou moi ! Je vais déjà avoir assez à faire avec un champion de base-ball pour ne pas...

Voyant arriver l'imprésario de Bruce Jones, Claire lui coupa la parole.

— On en discutera plus tard, fit-elle. Lee !

Nous vous cherchions justement. Je vous présente Stella Gordon. C'est elle qui dirigera Bruce.

Lee Dutton s'approcha, un large sourire aux lèvres.

— Enchanté, lança-t-il joyeusement.

Il leva son verre.

— A notre collaboration !

Stella le trouva aussitôt sympathique, séduite par son air franc et jovial.

— Bruce est impatient de vous rencontrer et de se mettre au travail, ajouta-t-il.

— Vraiment ?

Elle se rappelait les réflexions de celui-ci à ce sujet et elle ne put s'empêcher de sourire.

— Nous sommes très heureuses, Claire et moi, à la perspective d'employer les talents de M. Jones.

Claire lança une œillade sévère à sa jeune amie, craignant sans doute qu'elle n'aille trop loin, puis glissa son bras sous celui de Lee.

— Où est-il ? Nous mourons d'envie de faire sa connaissance.

— Il ne va plus tarder. Le temps qu'il échappe à ses admiratrices !

Il avait la mine indulgente et ravie qu'un oncle adopte à l'égard d'un neveu dissipé, mais dévisagea néanmoins Stella d'un œil perspicace.

— Je lui souhaite d'en sortir indemne, glissat-elle à mi-voix.

Le sourire de Claire se figea. Elle afficha aussitôt un certain détachement pour lui dire :

— Tu devrais goûter ces œufs sur canapés. Un véritable délice !

Stella ne parut pas l'entendre et continua à l'adresse de Lee Dutton :

— Parlez-moi encore de Bruce Jones. Vous savez, je suis un supporter enragé !

— Ah ! Je vois que vous aimez le base-ball !

— Bien sûr. Claire et moi avons assisté au dernier match des Pirates. N'est-ce pas, Claire ?

Elle acquiesça, mais cette fois évita les yeux de Stella.

— C'est vrai. Et vous, Lee, suivez-vous l'équipe dans tous ses déplacements ?

Une lueur amusée dansait dans les prunelles du petit homme. Il ne savait pas à quel jeu se livraient ces deux femmes, mais il trouvait cela très divertissant.

— Autant que je peux, répondit-il, ou plutôt autant que mon travail me le permet. Justement, j'y pense, j'ai quelques places pour le match de dimanche prochain. Je serai enchanté de vous y accompagner.

Il réprima un sourire de malice tandis que Claire s'empressait d'accepter, prenant son amie de court.

— Rien ne nous ferait davantage plaisir !

Lee surprit l'expression de colère qui apparut sur le visage de Stella avant qu'elle n'ait eu le temps de se ressaisir.

— Tenez, voici Bruce ! s'écria-t-il.

Celui-ci venait en effet d'entrer et il eut un sursaut de surprise en apercevant Stella aux côtés de son agent et de celle qu'il devinait être Claire Thornton. Mais, comme à chaque fois qu'il l'avait vue, la même envie irrépressible d'être près d'elle s'empara de lui. Il avait pourtant tout essayé pour la chasser de ses pensées. En un éclair, il comprit que le pouvoir mystérieux qu'elle exerçait sur lui ne faisait qu'augmenter avec les jours.

Il se fraya un chemin à travers la foule des convives, saluant quelques personnes au passage. Un instant plus tard, il se trouvait aux côtés de Stella.

Elle répondit prudemment à son sourire. Quelle serait sa réaction lorsqu'il apprendrait qui elle était réellement ? Elle lutta contre le sentiment de malaise qui la gagnait. Après tout, maintenant que les dés étaient jetés, il fallait savoir accepter le cours des événements...

— Bruce, je te présente Claire Thornton. C'est elle qui produit les films publicitaires pour Di Marco.

Lee eut un geste protecteur à l'égard de Claire que Bruce et Stella notèrent non sans une certaine surprise.

— Quelle joie de vous rencontrer enfin, dit Claire. Je racontais à M. Dutton combien, Stella et moi, nous avons été impressionnées par votre match contre les Rangers il y a quelques semaines.

Bruce songea que Stella devait être un mannequin apprécié des Productions Thornton pour être l'amie de la directrice.

— Bonsoir.

Il saisit la main que Stella lui tendait.

Celle-ci avala sa salive avec difficulté tandis que Lee Dutton enchaînait :

— Claire me vantait les mérites de Mlle Gordon, et puisque vous allez travailler ensemble, il

serait bon que vous fassiez plus ample connaissance.

Bruce essayait de comprendre la situation. Il
jeta un coup d'œil interrogateur à Lee mais
Claire prit les devants.

— Pour un projet aussi important, il était
naturel que je confie la réalisation au meilleur
metteur en scène de la maison, précisa-t-elle.

Bruce resta impassible et Stella but une gorgée
de champagne pour se donner du courage.

— Ainsi, vous êtes la réalisatrice, dit-il d'un
ton singulièrement calme et posé.

Elle n'eut pas le temps de répondre. Déjà il
ajoutait avec une indifférence feinte :

— Très intéressant ; si je m'attendais à cela !

Soudain, d'un geste vif, il lui prit sa coupe des
mains, la posa sur la desserte, puis l'entraîna en
la tirant par le bras. C'est à peine s'il prononça
quelques mots d'excuse à l'adresse de Lee et de
Claire. Déjà il traversait la salle à grandes enjambées. Stella dut accélérer le pas pour rester à sa
hauteur et ne pas laisser paraître qu'il l'emmenait de force.

— Laissez-moi ! Vous me tordez le poignet !

— Et ce n'est qu'un début ! répondit-il dure-
ment.

Il ouvrit une porte-fenêtre et ils débouchèrent
sur la terrasse. Mais, là où Bruce croyait sans
doute trouver un endroit tranquille, une douzaine de couples enlacés dansaient au son d'un
orchestre. Il lâcha un juron, cherchant des yeux
un coin plus calme, quand il entendit quelqu'un
appeler la jeune femme. Sans hésiter, il la prit
dans ses bras et se laissa porter par le rythme.

Étourdie, le souffle coupé, Stella ne put que le suivre.

— J'ai à vous parler, dit-il, et je ne veux pas être interrompu.

Elle fit un vague signe de la main à l'une de ses collègues qui la regardait depuis la véranda. Celle-ci répondit à son salut par un mouvement de tête et se noya dans la masse des invités.

Stella bouillait de colère. Elle jura de se venger de l'affront qu'il lui faisait subir.

— Vous êtes un rustre ! dit-elle. Vous pensez peut-être que vous avez tous les droits parce que vous êtes un soi-disant champion, un héros national ! Je vous préviens que si jamais vous recommencez ce genre de... de...

Elle ne put continuer, il la serra davantage contre lui, étouffant ses paroles, et murmura à son oreille :

— Vous dansez merveilleusement, mademoiselle Gordon !

Il l'embrassa dans le cou et Stella, entre la colère et la stupeur, sentit un frisson la secouer. Elle repoussait de toutes ses forces l'idée qu'il puisse à nouveau la séduire, pourtant...

Quand l'orchestre entama un air de be-bop, Bruce resserra son étreinte, sans modifier son allure.

— Vous me devez des explications, dit-il, tandis qu'il l'attirait vers l'extrémité de la terrasse.

— Vous m'étouffez !

Un trouble étrange l'envahissait malgré elle. Les muscles tendus, Bruce l'entraînait, son souffle chaud dans son cou. Soudain il s'engagea dans un sentier qui serpentait entre les azalées. L'obscurité et le silence la saisirent et elle se rendit soudain compte de la situation périlleuse où elle s'était placée.

Bientôt Bruce fit volte-face. Il la plaqua contre le tronc d'un arbre et plongea son regard dans le sien.

— A quel jeu jouez-vous ?

Les yeux de Stella brillaient dans la pénombre. A ce moment, une brise tiède se mit à souffler et la lune apparut dans une trouée entre les nuages. Elle le dévisagea à son tour.

— Que... voulez-vous dire ?

— Ne faites pas l'innocente, vous le savez très bien !

Elle s'était attendue à ce qu'il soit contrarié, certes, mais une telle colère la déconcertait. Bruce affichait un regard dur et froid. Ses traits tendus, sa respiration saccadée trahissaient son extrême nervosité.

Stella sentit son cœur battre irrégulièrement et, effrayée par ce qu'elle avait déclenché, elle choisit une attitude défensive.

— Tout est de votre faute, commença-t-elle. C'est vous qui m'avez abordée pour me demander mon nom. C'est vous aussi qui m'avez téléphoné un matin à l'aube pour me donner rendez-vous. Moi, je me suis contentée d'aller assister à un match de base-ball avec Claire...

Elle voulut se dégager, mais il la repoussa fermement.

— Vous vous amusiez à me jauger, à m'évaluer, reprit-il. Que ce soit au stade ou pendant le dîner l'autre soir, vous me regardiez comme si j'étais une bête de concours !

Ses yeux lançaient des éclairs.

— J'aimerais au moins savoir quelle note vous m'avez décernée !

Stella reprenait maintenant de l'assurance. Après tout, elle était venue à cette soirée avec l'intention de lui faire payer son indélicatesse de la dernière fois.

— Je pense que votre cote de popularité n'est pas mauvaise. Elle progressera sûrement après la diffusion du premier spot publicitaire. Claire pense que si les Pirates parviennent jusqu'à la finale, l'impact promotionnel n'en sera que plus important.

— Vraiment ? dit-il sur un ton sarcastique. Alors, c'est l'essentiel.

Il se pencha vers elle.

— Pourquoi ne m'avez-vous pas dit qui vous étiez ?

— Je vous l'ai dit, protesta-t-elle.

Il eut un soupir d'impatience.

— Faux. Vous m'avez déclaré que vous tourniez des films, sachant pertinemment que je vous prendrais pour une actrice.

— Ce n'est pas de ma faute si vos déductions sont complètement hasardeuses.

Elle entendait le murmure lointain d'une musique et le son étouffé des rires et des éclats de voix. Le ton tranchant de Bruce la ramena à la réalité. Pour le moment, l'avantage n'était pas de son côté.

— Je n'aime pas qu'on se moque de moi et votre petit jeu ne me plaît pas du tout !

— Détrompez-vous, je ne joue pas, répliqua-t-elle. En ce qui concerne votre travail pendant le

58

tournage, il consistera à faire ce que je vous dis, ni plus ni moins.

Il s'efforça de maîtriser la vague de colère qui montait en lui et se contenta d'acquiescer.

— Sur le plateau du studio, oui...

Il passa la main dans son dos et caressa ses cheveux, puis il enchaîna :

— Mais une fois sorti ?

— Je vous demande de me laisser en paix, c'est tout.

Comme elle prononçait ces derniers mots, sa voix se mit à trembler. Bruce s'en aperçut et s'inclina vers elle. La jeune femme dut alors lever les yeux pour soutenir son regard.

— Je n'aime pas les règles de votre jeu, répondit-il. Essayons plutôt les miennes.

Elle se doutait de ses intentions mais, cette fois, elle ne lui permettrait pas de semer la confusion dans son corps et dans son esprit ni de la provoquer par ses baisers et ses caresses. Elle le défia du regard.

Il la fixa avec une intensité et une ferveur qu'elle ne lui connaissait pas. Un mince sourire releva les coins de sa bouche et elle sentit que déjà, au fond de son être, elle capitulait.

Sans la quitter des yeux, il dénoua la fine lanière qui retenait ses cheveux et les déploya sur ses épaules frissonnantes puis, attirant la jeune femme contre lui, il posa ses lèvres sur les siennes.

Stella perdit conscience de tout ce qui l'entourait. Malgré ses efforts, elle ne parvenait plus à contrôler son émoi. Le désir impérieux et sauvage prenait le pas sur sa résolution de ne pas lui céder et, tout en fermant les yeux, elle lui offrit sa bouche. Si les baisers de Bruce l'avaient troublée la première fois, elle éprouvait aujourd'hui un sentiment infiniment plus fort, plus violent. Leurs corps ne formaient plus qu'un. Le même feu les dévorait tous deux.

Bruce relâcha progressivement son étreinte. Il se fit plus tendre et savoura le goût de ses lèvres. Stella gémit de plaisir. Il sentait qu'elle faiblissait. Une émotion inhabituelle s'empara de lui, car il savait qu'elle n'était pas femme à succomber facilement. Pourtant les deux fois où il l'avait tenue dans ses bras, elle s'était abandonnée de la sorte. La force n'avait pas eu raison d'elle, mais plutôt la douceur. Il se rendit compte que sa colère était tombée et ne souhaita plus qu'une chose, se laisser emporter dans le tourbillon de sensations qu'elle éveillait en lui, respirer le parfum suave de son corps, enfouir son visage dans sa chevelure, l'embrasser, l'embrasser encore...

Stella ouvrit les yeux, encore tout étourdie. Les caresses de Bruce étaient pure magie. Ses mains exploraient à présent son corps, remontaient jusqu'à sa gorge... Il commença à déboutonner son chemisier.

— Non, fit-elle d'une voix étranglée.

Bruce saisit ses cheveux à pleines mains. Elle renversa la tête en arrière. Le regard brûlant de passion, il la dévisageait.

— Je veux sentir votre peau sous mes doigts, murmura-t-il.

Il effleura sa poitrine dont il suivit les contours,

puis s'attarda sur ses mamelons durcis. Stella gémit à nouveau.

— Bientôt votre corps n'aura plus de secrets pour moi...

Elle ne répondit pas. Le vertige la reprenait tandis qu'il caressait à nouveau ses seins.

— Et je contemplerai votre visage dans l'abandon de l'amour...

Il se fit plus pressant.

— Embrassez-moi, Stella, lui demanda-t-il à l'oreille.

Tremblante d'émotion, elle se tendit vers lui et pressa ses lèvres entrouvertes sur les siennes. Une flambée de désir l'envahit. Elle passa la main dans les cheveux de Bruce, cherchant à l'attirer plus près encore. Emporté par sa fougue amoureuse, il se sentit bientôt incapable de maîtriser sa passion et il s'écarta doucement de la jeune femme. Il en avait appris ce soir un peu plus sur elle, et il préférait attendre. De plus, il y avait un point sur lequel ils devaient se mettre d'accord.

Il lui prit doucement le menton.

— Quand la caméra tourne, vous menez le jeu selon vos propres règles, dit-il, mais en dehors des temps de travail, c'est moi qui conduis la partie.

Il se demandait s'il pourrait résister encore longtemps à l'appel de ses sens. Le besoin impérieux de la posséder éludait toute autre pensée.

Stella reprit péniblement sa respiration.

— Mais je ne joue pas. C'est vous qui pensez cela.

Il sourit, suivant du doigt le contour des lèvres de la jeune femme.

— Tout le monde joue, répondit-il avec conviction. Certains ne font même que cela, c'est leur métier, et je ne parle pas des sportifs. Il y a des jeux dangereux, d'autres plus cruels et certains innocents. La vie n'est qu'un vaste jeu.

Il fit un pas en arrière.

— Nous avons un contrat à remplir ensemble, continua-t-il. Rien de très excitant peut-être, mais je suppose que, quoi qu'il arrive, vous vous arrangerez pour que le résultat soit parfait.

Elle hocha la tête.

— C'est vrai. Même si je vous détestais, je pourrais faire de vous un personnage hors pair, séduisant et commercial. C'est une des lois du marketing.

Le sourire de Bruce s'élargit.

— Et ce qui se produira entre nous deux sur le plan personnel ne changera pas votre façon de travailler ?

Elle lui jeta un regard pénétrant.

— Je réaliserai ce film comme je l'entends. Quant au reste, mieux vaut ne pas anticiper.

Il lui entoura affectueusement les épaules.

— Vous avez raison. Qui vivra verra !

Stella fronça les sourcils, l'air sceptique.

— Vous avez faim ? demanda-t-il.

— Je n'ai presque rien mangé.

— Alors, il est peut-être temps de rentrer.

Chapitre 4

Jamais Stella n'aurait imaginé passer un dimanche après-midi sur les gradins d'un stade. Avec un soleil pareil, elle aurait pu profiter de la plage ou simplement lézarder sur sa terrasse. Mais, le comble, c'est qu'elle ne s'ennuyait pas, au contraire.

Ses propos inconsidérés avec Claire, lors de la soirée chez Di Marco, l'avaient entraînée jusque-là, mais ce qui était apparu tout d'abord comme une corvée devenait une expérience pleine d'intérêt. En effet, dès la deuxième manche, elle avait été prise par le jeu et elle tentait maintenant d'en saisir toutes les subtilités. Elle observait la manière dont les joueurs évaluaient les risques et se concertaient avant de se lancer dans l'action. Stella se passionnait désormais pour ce sport qu'elle ignorait il y a encore quelques semaines et ce n'était pas la moindre victoire de Bruce !

Les supporters étaient aussi nombreux et enthousiastes que lors du match précédent et ils scandaient le nom des Pirates avec une foi et une ardeur inébranlables.

Lee Dutton lui avait fait remarquer que l'équipe avait adopté une tactique défensive. Les attaquants adverses étaient particulièrement redoutables et il fallait à tout prix les empêcher de prendre de l'avance. Le score était de un partout et la partie très serrée.

Lee tendit le sachet de pop-corn à Stella, puis à Claire qui plongea la main dedans sans détourner les yeux de la première base. Le lanceur ajusta son tir et la balle partit en sifflant.

Stella jeta alors un coup d'œil en coin à Lee Dutton. Son comportement l'intriguait. Le moins qu'on puisse dire c'est qu'il éprouvait une grande attirance pour Claire. Il ne manquait pas une occasion d'effleurer sa main, de la prendre par les épaules, et le plus surprenant, c'était l'attitude de Claire qui ne faisait rien pour le décourager. Elle paraissait, au contraire, apprécier ses attentions. Une histoire à suivre, songea-t-elle.

Elle reporta son intérêt sur le terrain, et tout particulièrement sur Bruce. Depuis le début de la rencontre, elle ne l'avait guère quitté des yeux. C'était un plaisir de le voir évoluer. Sa grâce et son aisance naturelles montraient à quel point il était à l'aise sur un stade, mais, comme Claire l'avait expliqué, cet homme était à l'aise partout. Stella en avait d'ailleurs eu la preuve à la réception de l'autre soir.

L'éducation qu'il avait reçue contribuait sans doute largement à lui donner cette confiance en lui, cette aisance qu'il affichait en toutes circonstances. Sa famille était riche, très riche. Son grand-père avait investi dans l'industrie pétrochimique et s'était rapidement retrouvé à la tête de plusieurs usines à Dallas, Houston et Los Angeles, représentant chacune plusieurs millions de dollars.

Bruce était né dans le luxe, entouré de gouvernantes anglaises et de valets de chambre français. Il avait deux sœurs, mariées toutes les deux,

64

l'une avec un grand restaurateur de Beverly Hills et l'autre avec le directeur de l'usine Parks de Dallas.

Après des études à Oxford, et contrairement au souhait de son père, il n'embrassa pas la carrière industrielle. Le base-ball était sa passion et, après un an d'entraînement dans l'équipe de réserve des Pirates, il fut sélectionné pour figurer parmi les neuf meilleurs joueurs. En dix ans, il obtint trois nominations pour la batte d'or, trophée récompensant généralement un batteur exceptionnel pour l'ensemble de sa carrière sportive.

Il ne jouait pas pour de l'argent, mais pour l'amour du jeu. Sans doute était-ce pour cette raison que son style était si parfait. En tout état de cause, son opiniâtreté, sa persévérance forçaient le respect et l'admiration.

Stella s'accouda à la rambarde. Bruce semblait l'ignorer. Depuis le début du match, elle n'avait croisé qu'une seule fois son regard. Ses yeux étaient alors devenus d'un bleu presque métallique. Sa force de concentration était exceptionnelle et rien de ce qui se passait sur le terrain ne lui échappait. Il avait néanmoins longuement dévisagé Stella avant de regagner sa place en troisième base. Elle aurait voulu qu'il la regardât encore, qu'ils reprennent cette petite guerre excitante qu'ils s'étaient livrée la première fois qu'elle était venue le voir jouer. Elle était déçue et contrariée. Bruce était en tout cas le seul homme qui ait jamais éveillé en elle pareils sentiments. Elle aimait son esprit, ses reparties, et elle devait bien s'avouer qu'elle prenait un malin plaisir à ces jeux auxquels ils s'amusaient avec sérieux et dérision à la fois.

Lee était sur le bord de son siège, pâle comme un linge. Les Pirates étaient menés d'un point. La foule grondait et sifflait. Stella se pencha, le menton au creux de la main. Elle se demandait à quoi pouvait bien penser Bruce...

La sueur lui brûlait les yeux. A demi aveuglé par l'éclat du soleil, il cligna des paupières tandis que le lanceur se mettait en position. Une douche froide et un litre de bière, en ce moment c'est tout ce qu'il souhaitait. Stella se trouvait dans les tribunes, non loin de lui, et cette pensée le rendait nerveux, fébrile. Il imaginait son corps dénudé, abandonné à ses caresses, s'offrant à lui sans pudeur.

Il tenta de chasser cette image de son esprit et de se concentrer sur le jeu, mais elle était aussi lancinante que la brûlure du soleil sur sa nuque. Le lanceur se ramassa sur lui-même et d'une formidable détente jeta la balle vers le batteur. Bruce était accroupi derrière lui, casqué et ganté. Ses muscles se contractèrent. Il écarta légère-ment les jambes pour assurer son équilibre. Il savait déjà que la balle lancée trop bas lui était destinée et le batteur, comprenant la situation, pivota sur ses talons pour ne pas le gêner. Il fit un blocage parfait et enchaîna aussitôt par une longue passe au coureur de première base qui s'élança sur le sentier.

Ce fut le délire parmi la foule qui hurla sa joie. Stella continuait à regarder fixement Bruce et elle ne vit même pas Lee Dutton, soulevé par l'enthousiasme, qui serrait Claire dans ses bras et lui donnait un retentissant baiser sur la joue.

Aucun autre joueur ne possédait cette grâce et cette agilité de danseur. La jeune femme constata que son cœur battait plus vite et que les cris des supporters l'enivraient, provoquant en elle un flot d'émotions nouvelles. Il lui suffisait de fermer les yeux un instant pour le voir comme dans un film au ralenti. Elle imaginait alors le jeu de ses muscles dans son dos, admirait cette souplesse et cette mobilité presque animales. Décidément, le base-ball la fascinait de plus en plus !

Lee passa son bras autour des épaules de Claire, puis se pencha vers Stella, un large sourire aux lèvres.

— Vous avez vu ! Il est formidable !

Elle hocha la tête.

— Vous savez, je n'y connais pas grand-chose.

— Pas besoin d'être un expert pour voir que ce type est un champion !

Lee tira un cigare de sa poche et regarda Stella avec une attention soutenue.

— Sur le terrain, Bruce a un self-control étonnant, une discipline de fer.

Elle esquissa un sourire.

— S'il est aussi bon devant une caméra, je n'aurai pas à me plaindre.

— Vous allez être surprise quand vous verrez de quoi il est capable, dit-il avec une note d'irritation dans la voix.

Stella haussa les épaules.

— Tout ce que je demande, c'est qu'il fasse ce que je lui dis.

La neuvième manche venait de commencer et

les deux équipes étaient à égalité. La tension montait parmi les spectateurs au point d'être presque palpable et Stella se rendit compte avec surprise qu'elle tremblait d'excitation. Elle souhaitait de toutes ses forces que les Pirates gagnent. Pourquoi ? En toute autre occasion, elle aurait trouvé cette attente ennuyeuse, exaspérante mais, aujourd'hui, elle avait envie de hurler, de frapper dans les mains pour encourager les joueurs, comme si leur victoire devait être la sienne.

— Le match va probablement être prolongé, commenta Lee.

— Un point ! Un point seulement et nous avons gagné ! s'exclama Stella sans détourner son attention du jeu.

Lee et Claire échangèrent un sourire de complicité.

Le batteur de l'équipe, un certain Ripley, manqua deux balles de suite, donnant l'avantage à ses adversaires. Il y eut un moment de confusion parmi les supporters qui se mirent à siffler pour montrer leur déception. Mais les joueurs conservaient un calme apparent qui déconcertait Stella. Comment pouvaient-ils résister à la pression qui s'exerçait sur eux ? Ils devaient être pourvus de nerfs d'acier et posséder un sang-froid quasi surhumain. Les Pirates s'étaient groupés autour de Bruce qui leur parlait à voix basse en sautillant sur place. Un murmure parcourut la foule comme une vague. Le nom de Bruce courait d'une bouche à l'autre. C'était à son tour d'occuper la position de batteur et chacun plaçait en lui tous ses espoirs. Les poings serrés, Stella leur fit écho.

Il prit place dans le cercle tracé à la chaux. Ses traits étaient détendus, mais il avait un regard farouche. Elle avala sa salive avec difficulté. Son cœur cognait dans sa poitrine, elle ne cherchait plus à comprendre ce qui se passait en elle, elle ne voulait qu'une chose, que Bruce marquât le point.

Il frappa la première balle de biais et elle alla se perdre hors jeu. Un silence impressionnant régnait dans les tribunes. On aurait dit que les milliers de spectateurs retenaient leur souffle. Bruce leva la main pour faire signe qu'il était prêt et le lanceur, d'un geste extraordinairement rapide et puissant, envoya la seconde balle. Bruce leva lentement sa batte dans un mouvement de rotation et la cueillit de plein fouet comme s'il avait prévu sa trajectoire à l'avance. Il y eut un claquement sec, suivi aussitôt par les acclamations frénétiques du public. Déjà il franchissait la deuxième base de l'adversaire, coudes au corps, cheveux au vent, et rien ni personne ne pouvait stopper sa course.

Lee avait bondi sur ses jambes, rouge d'excitation. Il tapait du pied en levant le poing.

— Ça y est ! Ça y est ! s'époumonait-il. Tu les as, Bruce, vas-y !

Il boucla un tour complet à la vitesse de l'éclair et continua sans faiblir, porté par les vivats des supporters.

Stella ne put s'empêcher de pousser un cri de joie et d'applaudir à tout rompre, les yeux illuminés, le cœur battant. Déconcertée, Claire l'observait du coin de l'œil tandis que l'arbitre sifflait la fin du match.

— On peut dire qu'il les a coiffés au poteau, fit Lee Dutton.

Il se leva et prit le bras de Claire d'un geste anodin.

— Allons dans les vestiaires pour le féliciter, ajouta-t-il.

Stella leur emboîta le pas, soudain songeuse. Ce même homme que tout le monde saluait comme un héros ne l'avait-il pas à moitié déshabillée dans l'ombre d'un jardin, au beau milieu d'une réception ? Il respectait peut-être le règlement qu'on lui imposait sur le terrain mais, en dehors, il n'écoutait que sa propre loi.

Ils descendirent dans les sous-sols du stade. Lee marchait devant, se frayant un chemin à travers la cohue des journalistes et des admirateurs. Les flashes crépitaient. Des voix surexcitées appelaient de tous côtés. Les portes claquaient et la bousculade était telle que Claire et Stella durent jouer des coudes pour ne pas étouffer.

Le vestiaire sentait la sueur et le champagne dont les bouchons commençaient à sauter gaiement. Des rires de soulagement fusaient. Le manager des Pirates, cigare aux lèvres, paradait fièrement devant les photographes.

Biggs, l'un des coéquipiers, déclarait à un reporter :

— Je crois que notre jeu défensif nous a permis de tromper l'adversaire dans les cinq premières manches et...

Il s'interrompit pour s'éponger le front.

Stella se haussa sur la pointe des pieds. Elle aperçut Bruce, le maillot maculé de boue, le front luisant de transpiration. Il souriait en parlant avec un journaliste sportif.

Très excité, Biggs poursuivit :

— ... et notre force est de ne jamais douter les uns des autres.

Stella se glissa dans la pièce pour entendre ce que disait Bruce.

— Il nous reste à disputer quatre matchs de championnat, commentait-il d'une voix encore essoufflée, et j'espère que nous allons nous maintenir en tête de division.

— Avec une frappe pareille, Jones, répliqua le reporter, vous êtes sûr de remporter la coupe pour les Pirates. Vous êtes le héros de la saison !

Bruce secoua la tête.

— La victoire n'appartient pas à un seul, mais à l'équipe.

Un mince sourire se dessina sur ses lèvres lorsqu'il vit Stella.

— Que pensez-vous des déclarations du capitaine des Vaillants. D'après lui...

Bruce fit un geste évasif de la main. Lee se précipitait vers lui, les yeux pétillants de joie.

— Plus de questions, pour le moment, déclara-t-il sèchement. Vous voyez bien qu'il a besoin de souffler !

Le journaliste eut un sourire compréhensif. Il remercia Bruce et se dirigea vers un autre joueur.

— Enchanté, madame Thornton.

Bruce tendit la main à Claire et jeta à Stella un regard pénétrant, puis effleura nonchalamment son avant-bras. Elle frissonna, s'efforçant de dissimuier son trouble. Cet homme n'était pas aussi inoffensif qu'il en avait l'air, elle ferait bien de ne pas l'oublier !

— Quel match, Bruce ! s'exclama Lee. Encore une fois, si tu n'avais pas redressé la situation...

— J'ai donné le meilleur de moi-même, voilà tout, répondit-il tout en dévisageant Stella.

— Claire et moi, nous allons dîner en ville. On pensait que, Stella et toi, vous aimeriez peut-être vous joindre à nous.

Elle sursauta sous le coup de la surprise. Son amie ne lui avait pas parlé de cette soirée.

— Désolé, mais nous avons déjà prévu quelque chose, s'excusa Bruce.

Elle se tourna brusquement vers lui, le front plissé.

— Je n'en ai pas le moindre souvenir, protesta-t-elle.

Il prit une expression amusée.

— Je vous avais pourtant bien recommandé de le noter sur votre agenda.

Et sans lui laisser le temps de protester, il enchaîna :

— J'en ai à peine pour une demi-heure. Attendez-moi en haut.

Stupéfaite, Stella le regarda s'éloigner vers les douches.

— Quel culot ! marmonna-t-elle.

Claire lui donna aussitôt un coup de coude dans les côtes.

— Navrée que vous ne puissiez pas venir, fit-elle, mielleuse. De toute façon, je crois que tu ne raffoles pas des restaurants chinois. Et puis, Lee veut absolument me montrer sa collection avant d'aller dîner.

— Sa collection? répéta-t-elle sans comprendre.

Ils remontaient à présent le couloir encore encombré de supporters fiévreux et d'admiratrices échevelées.

— Nous nous sommes découvert une passion commune pour l'art oriental, Lee et moi.

Claire lança à son compagnon un coup d'œil charmeur. Il acquiesça sans rien dire et la prit tendrement par la taille.

— Tu retrouveras ton chemin jusqu'aux tribunes? demanda-t-elle encore.

— Je ne suis pas stupide!

Elle regarda Lee d'un air sceptique.

— Bon, eh bien, à lundi!

Claire arbora un sourire éclatant.

— Euh... Oui... bafouilla-t-elle.

— Et bonne soirée, ajouta Lee en lui serrant la main.

— Je vous remercie...

Elle les vit disparaître par une allée latérale et resta un moment sans savoir que faire, désorientée et confondue. Puis elle haussa les épaules, enfonça ses mains dans ses poches et sortit à l'air libre.

Elle regagna sa place, près de la troisième base, et s'assit pour attendre Bruce, contemplant devant elle le terrain désert. L'équipe de nettoyage avait envahi les gradins, ramassant les emballages de sandwichs et les boîtes de bière vides. Elle avait encore dans les oreilles les hurlements de la foule et le silence semblait vibrer des clameurs et des palpitations de ces milliers de supporters. A cette heure, ils devaient rouler au pas sur l'autoroute engorgée qui les ramenait en ville, commentant les grands moments du match d'un ton exalté, le visage rayonnant de joie.

Stella renversa la tête en arrière, savourant la douceur de cette fin d'après-midi. Des nuages aux teintes rougeoyantes flottaient au-dessus de l'horizon, filtrant la lumière du couchant. C'est alors qu'elle sentit sa présence. Elle se redressa vivement, ses pensées s'envolèrent soudain comme une troupe de moineaux affolés. Quel pouvoir exerçait-il sur elle pour la laisser tout à la fois désemparée et furieuse contre elle-même ?

Il descendait la travée lentement, un sourire confiant aux lèvres et, malgré elle, Stella fut envahie par un flux d'émotions confuses.

Elle s'attendait à ce qu'il lui fasse une réflexion ironique ou bien qu'il adopte un air indifférent et anodin, comme si le mensonge qu'il avait proféré tout à l'heure, dans le vestiaire, était parfaitement naturel. Mais elle n'imaginait pas qu'il allait la prendre dans ses bras et presser ses lèvres contre les siennes. C'est pourtant ce qui se passa. Surprise, Stella ne songea même pas à protester. Une vague de plaisir la submergea aussitôt, Bruce l'embrassait avec une sorte de désespoir. Il se montrait impératif. Instinctivement, elle répondit à son appel. Il la désirait et elle en fut ravie. Elle comprit alors à quel point elle était sensible et vulnérable. Elle avait envie, elle avait besoin qu'il la désirât.

Il s'écarta d'elle doucement, l'observant avec

intensité. Ses yeux brillaient d'un éclat caressant, mais une expression sauvage apparut sur son visage. Il passa sa main dans sa chevelure, l'attirant contre lui.

— Stella, soyez à moi. Ce soir...

Elle se raidit, le repoussa et se recula.

— Je ne sais pas ! chuchota-t-elle.

Nullement désarmé, il ébaucha un sourire plein d'assurance et la prit par le poignet.

— Vraiment ? Alors, je me ferai une joie de vous convaincre.

— Vous pouvez toujours essayer, répliqua-t-elle avec fermeté.

Il haussa un sourcil étonné tandis qu'elle se dégageait de son étreinte.

— Pourquoi avez-vous menti au sujet de ce soir ?

— Pendant tout le match j'ai pensé à vous, à votre corps. J'en devenais fou.

L'intonation de sa voix ne laissait aucun doute quant au sérieux de Bruce. Elle soutint son regard pénétrant et répondit :

— Vous au moins, vous n'y allez pas par quatre chemins !

— J'avais cru comprendre que vous aimiez la franchise.

— C'est vrai, reconnut-elle, mais nous allons travailler ensemble sur un projet important où beaucoup de personnes sont impliquées. Je suis très exigeante envers moi-même et je n'en attends pas moins de vous...

Il eut une moue perplexe.

— Je ne vois pas où vous voulez en venir.

Elle lui décocha une œillade irritée.

— Ce que je veux dire, c'est que des relations extra-professionnelles finissent toujours par compromettre l'impartialité d'un travail. Je vais devoir vous diriger et il est hors de question que je devienne votre maîtresse, même pour une courte période.

Il l'observa avec curiosité et surprise.

— Planifiez-vous toujours ainsi vos relations ? demanda-t-il. Je pensais que vous étiez plus romantique.

— Je me moque bien de ce que vous pensez, rétorqua-t-elle.

Son visage se rembrunit.

— L'important est que vous me compreniez.

— Très bien. Vous refusez de regarder les choses en face. Vous vous dérobez, en quelque sorte.

Son ton était sarcastique. Elle s'emporta brusquement.

— Certainement pas ! Mais vous ne m'intéressez pas. J'ai tout de même le droit de disposer de moi-même, non ? Désolée si je blesse votre amour-propre !

Il la saisit par le bras et lui déclara d'une voix qui tremblait de colère :

— Aucune femme ne m'a jamais infligé un tel affront.

Les yeux de Stella lançaient des éclairs.

— Vous êtes sans doute habitué à ce qu'elles succombent à votre charme irrésistible.

— Et vous, vous avez tellement peur de vous retrouver seule que vous préférez étouffer vos véritables sentiments !

Elle poussa un cri d'animal blessé et pâlit tout

à coup. Son regard s'assombrit et, se détournant, elle se mit à courir vers la sortie. Bruce la rattrapa au bout de la travée. Il la ceintura avec fermeté mais sans brutalité et l'obligea à lever les yeux.

— J'ai touché un point sensible, n'est-ce pas ? murmura-t-il, sur le ton du repentir. Pardonnez-moi.

Il était rare que la colère lui fasse perdre le contrôle de lui-même au point de causer de la peine et il s'en voulait sincèrement.

Elle le dévisagea avec une expression doulou-reuse.

— Laissez-moi partir.

— Stella, je...

Il voulut la prendre contre lui et la réconforter, mais il savait qu'elle le repousserait.

— Je... suis vraiment navré. Ce n'est pas mon habitude de faire du mal, je vous le promets.

Elle poussa un long soupir. Bruce la regardait d'un air suppliant. Il avait perdu son audace et son arrogance et souhaitait seulement qu'elle lui accorde son pardon.

Stella sourit faiblement.

— C'est bon. N'en parlons plus.

Elle hocha la tête comme pour se convaincre elle-même.

— D'ordinaire, j'encaisse mieux les coups.

— Je propose que nous fassions la paix, dit-il. Tout au moins pour ce soir.

— Cela ne dépend que de vous, répondit-elle prudemment.

— De vous aussi, ajouta-t-il.

Il se demandait si la blessure qu'il lui avait

infligée était profonde et combien de temps il lui faudrait pour regagner sa confiance.

— Que diriez-vous d'aller dîner ?

Cette fois, elle capitula tout à fait.

— D'accord.

Elle lui abandonna sa main qu'il serra tendrement dans la sienne.

Il l'emmena dans un petit restaurant mexicain aux abords de la ville. Délaissant la salle comble et enfumée, ils s'installèrent dans le patio et commandèrent du vin espagnol. Bruce constata avec satisfaction que Stella était à présent détendue. L'atmosphère y était sans doute pour beaucoup, mais il eut l'intuition que cette attitude était un peu forcée et que la jeune femme restait sur la défensive.

— Vous avez grandi en Californie ? demanda-t-il.

— Non.

Le vin était d'un rouge sombre velouté. Elle en but une gorgée et plongea ses yeux dans les siens.

— Et vous ?

— Plus ou moins, répondit-il.

Il sourit intérieurement, se rappelant qu'elle avait l'art de détourner les questions et de changer de sujet. Un homme averti en vaut deux, songea-t-il. Il insista :

— Pourquoi êtes-vous venue à Los Angeles ?

Elle répliqua sans hésiter :

— Le climat est idéal, et puis il y a beaucoup de distractions. J'aime les gens d'ici, ils sont davantage ouverts aux idées nouvelles.

78

— Ce qui m'étonne, continua Bruce, c'est que vous habitiez loin de tout.

— J'ai besoin de prendre du recul, de m'isoler un peu.

Sans lui laisser le temps de formuler une autre question, elle enchaîna :

— Je me demande ce qu'a pu penser votre famille quand vous avez choisi le base-ball plutôt que les affaires.

Il sourit, admirant l'habileté avec laquelle elle reprenait la situation en main.

— Ils n'en sont toujours pas revenus. D'ailleurs mon père persiste à croire que c'est une lubie. Et votre famille à vous, que pense-t-elle de votre métier ?

Elle reposa son verre et Bruce remarqua qu'elle tremblait légèrement.

— Je n'ai pas de famille.

Décelant l'émotion dans sa voix, il sut qu'il abordait un sujet douloureux.

— Où avez-vous été élevée ?

— Ici et là, dit-elle en évitant ses yeux.

Bruce lui prit la main, forçant ainsi son attention.

— Vous ne voulez pas me répondre ?

Une lueur de colère s'alluma dans le regard de la jeune femme.

— Pourquoi me harcelez-vous avec vos questions ?

— Parce que je veux savoir qui vous êtes, répondit-il doucement. Nous pourrions être amis avant de devenir amants.

Elle retira sa main comme sous l'effet d'une décharge électrique.

— Vous dites n'importe quoi !

Il la dévisagea fixement.

— Pourquoi êtes-vous si nerveuse ?

— Vous m'exaspérez, reprit-elle. Il y a une nuance.

Ses traits prirent une expression ironique.

— C'est bien. La colère est stimulante.

— Je n'ai pas besoin d'être stimulée. Tout ce que je demande, c'est de passer une soirée paisible.

Il prit à nouveau sa main et y porta ses lèvres.

— Je ne vous crois pas, fit-il en riant. Vous aimez trop l'aventure.

— Vous ne me connaissez pas.

Il se pencha vers elle.

— C'est bien ce qui m'ennuie. Qui êtes-vous réellement ?

— Ma vie n'a pas toujours été facile, si c'est ce que vous souhaitez savoir.

Bruce hocha la tête puis, retournant la main de la jeune femme, il fit mine de lire dans sa paume.

— Je vois une jeune femme indépendante... Hum... Vous avez un caractère bien trempé, beaucoup d'ambition et de volonté. Vous avez vécu dans un endroit retiré à la campagne. Vous aimez rire, vous amuser et, si vous vous emportez plus que de coutume, vous êtes cependant sensible et généreuse.

Stella plissait le front en l'écoutant, soudain songeuse et attentive. Il avait l'impression d'apprivoiser un animal sauvage.

— En tout cas, vous êtes ravissante et vous me plaisez beaucoup.

Elle resta silencieuse un instant, puis poussa un long soupir.

— Je ne sais si vous pouvez me comprendre, reprit-elle. Ma mère n'était pas mariée. D'après ce que j'ai entendu dire, la vie ne l'a guère épargnée, non plus. N'ayant pas le courage de m'élever, elle a demandé à sa sœur de le faire. J'étais encore un bébé. Je ne me rappelle pas grand-chose de ma tante. Quand j'ai eu six ans, elle m'a confiée à l'Assistance publique et j'ai grandi chez des parents nourriciers.

Stella tenait les yeux baissés. Une ombre de tristesse voilait son visage. Elle haussa les épaules et poursuivit :

— Je suis restée un an chez eux et puis une autre famille m'a accueillie. En dix ans, j'ai eu cinq foyers différents, mais nulle part je ne me suis vraiment sentie chez moi.

Elle secoua la tête comme pour chasser les fantômes du passé.

— A dix-sept ans, j'ai décidé de me débrouiller toute seule. J'ai traversé la moitié du pays en auto-stop pour venir à Los Angeles où j'ai commencé à travailler comme serveuse.

Elle croisa le regard attentif de Bruce et le toisa presque sévèrement.

— Inutile de vous apitoyer !

La main de Stella s'était crispée dans la sienne. Il la caressa doucement avant de répondre :

— Je ne m'apitoie pas. Je me disais simplement que vous aviez beaucoup de cran. A votre âge, je voulais suivre des stages d'entraînement de base-ball. Au lieu de quoi, obéissant à mon père, j'allais à l'université. Je ne sais pas si j'aurais eu le courage d'entreprendre ce que vous avez fait.

— Vous aviez des obligations, moi pas, répliqua-t-elle. C'est toute la différence. Si j'avais eu la chance de pouvoir aller à l'université...

Elle s'interrompit et fit un geste vague de la main.

— En tout cas, nous avons tous les deux dix ans de métier derrière nous.

— Oui, et votre carrière ne fait que commencer, fit-il, tandis que pour moi... dans une saison elle sera terminée.

— Pourquoi ?

— J'aurai trente-quatre ans, répondit-il avec un sourire amer. Je me suis promis d'arrêter la compétition avant qu'il ne soit trop tard.

Elle sourit.

— Qu'allez-vous faire ensuite ?

— Je l'ignore encore.

Il se pencha vers elle et lui caressa la joue d'un geste tendre et possessif à la fois.

— Pour commencer, je pourrais vous emmener à Hawaii.

Comme elle s'apprêtait à répliquer, il ajouta aussitôt :

— Ne protestez pas ou nous allons nous quereller à nouveau !

Il remplit leurs verres. Le vin capiteux accompagnait parfaitement la nourriture épicée, servie avec des galettes de maïs. Ils mangèrent en silence puis Stella releva la tête et fixa son compagnon droit dans les yeux.

— Bruce, commença-t-elle, j'étais sérieuse

tout à l'heure lorsque je vous ai expliqué qu'une...
aventure avec vous était impossible.

— Oui, je sais, répondit-il.

Sans qu'elle s'y attende, il glissa une main sur
sa nuque et l'attira vers lui pour l'embrasser.

Chapitre 5

Stella n'eut pas de nouvelles de Bruce pendant trois jours, les Pirates étant allés disputer un match à Denver. Elle put le suivre aux informations télévisées. Grâce à lui, une nouvelle fois, l'équipe s'était assuré une confortable victoire, prenant trois autres points d'avance pour le championnat et gardant la tête de la division.

Entre-temps, elle acheva de mettre au point son plan de travail. Le premier spot pour Di Marco devait être filmé avant les matchs de demi-finale, ce qui lui laissait un court laps de temps pour son projet. Elle lut le script encore une fois et rectifia quelques détails. L'ensemble comprenait un minimum de dialogues, l'accent étant mis sur l'action. Tout d'abord, on voyait Bruce, vêtu d'un costume de sport en tweed marron, qui s'exerçait à la batte sur le terrain. Plus tard, habillé de la même façon, il descendait d'une Rolls au bras d'une ravissante jeune femme brune.

« La ligne Di Marco, lut Stella à mi-voix, le chic décontracté en toute occasion. » Elle hocha la tête, satisfaite. La scène avait été soigneusement chronométrée et le fond sonore déjà enregistré. Il ne lui restait plus qu'à définir les angles de prises de vue et les déplacements des acteurs sur le plateau. Le résultat dépendrait de son talent autant que du charme de Bruce.

Elle but une gorgée de café et reposa le script. On frappait à la porte de son bureau. La réceptionniste entra, les bras chargés d'un volumineux carton provenant de chez le fleuriste.

— Pour vous, dit-elle.

— Merci.

La jeune femme plissa le front, intriguée. Il arrivait parfois qu'un client satisfait lui adressât une lettre de remerciement ou une boîte de chocolats, mais rarement des fleurs. Elle défit le ruban et découvrit une gerbe d'hibiscus roses et blancs. Elle eut un sursaut de surprise. Envoûtée par le parfum délicat, elle ferma les paupières et respira profondément. L'image d'un jardin exotique surgit dans son esprit. Elle sourit puis, ouvrant les yeux, elle aperçut une carte.

« En hommage à votre beauté, ces fleurs toutes sensuelles... »

Ce message n'était pas signé mais elle comprit qu'il s'agissait de Bruce. Un frisson de joie la parcourut. Bien que bref, ce mot la touchait profondément. Elle eut soudain l'impression de sentir les doigts de Bruce effleurer son visage, suivre le tracé de ses lèvres et elle vibra de tout son être. Non, décidément, elle ne pouvait oublier cet homme. Il était bien trop présent dans ses pensées. Mais, au fond, voulait-elle vraiment se détacher de lui ? Il était en ce moment à Portland où il devait disputer un match retour contre les Géants demain en nocturne. Il fallait absolument qu'elle l'appelle pour le remercier. Elle décrocha le téléphone.

— Je voudrais joindre Bruce Jones. Appelez

son agent, Lee Dutton, il aura certainement son numéro à Portland.

Elle attendit, délicieusement troublée par l'arôme délicat des hibiscus. Elle prit une fleur entre ses doigts et la respira longuement. Ce contact lui évoqua le premier baiser de Bruce, ses lèvres tièdes courant sur sa peau, légères et douces comme les pétales de ces fleurs. Le téléphone la tira de sa rêverie.

— Bruce Jones sur votre ligne privée.

La réceptionniste ajouta aussitôt :

— On me signale que vous êtes attendue dans le studio, mademoiselle Gordon.

— Entendu, merci. Allô ?

La voix de Bruce était étouffée, très lointaine.

— Stella ?

— Bruce ! Comment vous remercier ?

— Tout le plaisir était pour moi.

— Votre geste m'a vraiment émue...

Elle s'interrompit en l'entendant rire.

— J'étais en train de vous imaginer, la chevelure fleurie comme une princesse des îles.

— Cela ne ferait pas très sérieux, répondit-elle, d'une voix amusée. Je commence à filmer dans dix minutes.

Elle fit tourner un hibiscus entre ses doigts.

— Comment allez-vous, Bruce ?

— Je ne suis pas au mieux de ma forme. Je viens de rentrer à l'hôtel. L'entraînement a été dur. Vous m'obsédez.

Stella sentit son cœur battre plus fort.

— Je voudrais pouvoir être là pour vous encourager.

86

A l'autre bout du fil, Bruce ferma les yeux, se remémorant chaque détail du visage de Stella.

— On se voit à mon retour ? demanda-t-il.

— Bien sûr. Nous commençons à tourner vendredi, de toute manière.

— Je sais, dit-il, d'un ton plus ferme. Mais j'avais d'autres pensées. M'accorderez-vous quelques instants ?

Elle soupira, vaincue.

— Bruce, si vous me tentez...

La sonnerie de l'interphone retentit. Le chef de plateau attendait Stella et elle dut écourter sa conversation. Ils se quittèrent à regret.

Le jour du tournage était arrivé et Stella arpentait le studio, le script à la main. Méticuleuse et exigeante, elle dirigeait son équipe avec fermeté. L'œil à tout, elle avait déjà vérifié les décors dans leurs plus menus détails et passé des heures à modifier les jeux de lumière pour obtenir l'effet désiré. La jeune femme montrait une telle détermination, une telle confiance en elle, que personne n'aurait songé à contester son autorité. Le décor du stade avait été reconstitué en studio. Un tapis d'herbe synthétique couvrait le sol, de grands panneaux astucieusement disposés en demi-cercle figuraient les tribunes. Avec un bon éclairage et un jeu d'ombres savant, elle arriverait à recréer l'atmosphère voulue. Elle fit un signe à l'éclairagiste.

— En avant pour un essai !

Les projecteurs s'allumèrent, leurs faisceaux braqués sur le cercle du diamant où prendrait place le lanceur.

— Monte un peu les deux derniers, dit Stella. Je veux une lumière d'après-midi ensoleillé.

L'endroit où se tenait ordinairement le batteur fut soudain illuminé par l'éclat des réflecteurs. C'est là que serait Bruce tout à l'heure. Stella leva la main.

— C'est bon ! Ne touche plus à rien. C'est parfait.

Bruce choisit ce moment pour entrer. Le champion que tout le monde attendait s'adossa au mur, dans le fond du studio. Il observa la jeune femme à l'insu de tous. Elle était si différente aujourd'hui ! Les cheveux tirés en arrière, elle portait un jean délavé, un tee-shirt blanc et une paire de tennis. Avec une assurance étonnante, elle allait et venait, donnait des ordres d'un ton impératif, refusant de discuter ce qui lui paraissait être une décision juste et bien fondée.

Il tira sur les manchettes de sa chemise de soie avec une moue dubitative. Quelle idée de jouer au base-ball dans une tenue pareille. Si son entraîneur pouvait le voir, il ne manquerait pas de se moquer de lui. Il haussa les épaules. C'était à Stella de mener le jeu à présent, autant l'accepter. Il traversa le plateau d'un pas décidé. Elle donnait les dernières consignes.

— Simmons ! Enlève-moi ces câbles avant que quelqu'un ne se prenne les pieds dedans ! Toynbee... va chercher de l'eau avec beaucoup de glace, s'il te plaît. Nous allons en avoir besoin.

Elle se retourna alors et aperçut Bruce qui venait vers elle.

— Ah ! vous voilà.

Son attitude était neutre et indifférente. Elle ne

semblait pas spécialement contente de le voir, ou alors, elle le cachait bien, c'est du moins ce qu'il conclut au premier coup d'œil. Stella héla son assistant.

— Nous allons faire une première mise en place. Que tout le monde soit prêt.

Elle inspecta rapidement la tenue de Bruce.

— Avancez sur le plateau, lui dit-elle ; le cameraman et l'éclairagiste vous attendent.

Il hocha la tête sans répondre, enfonça les mains dans ses poches et, maudissant silencieusement Lee Dutton pour le sale tour qu'il lui avait joué, se dirigea docilement vers le carré d'herbe synthétique.

— J'espère bien que vous allez battre les Géants à plate couture, lui lança un technicien au passage.

Bruce se dérida.

— C'est exactement ce que je compte faire.

— J'ai parié cinquante dollars sur les Pirates !

— C'est un bon investissement, répliqua Bruce. Vous ne le regretterez pas.

Stella s'approcha, le front plissé, et fit signe au technicien de les laisser.

— La première scène va être facile, fit-elle. Pour l'instant, il n'y a pas de dialogue. Vous n'avez qu'à faire la démonstration de vos talents.

Bruce haussa les sourcils.

— C'est-à-dire ?

Elle cilla. La question était lourde de sous-entendus. Elle s'efforça néanmoins de l'ignorer.

— Nous avons engagé un lanceur professionnel pour vous jeter la balle. J'espère que vous vous sentirez à l'aise....

— Dans ce costume ?

Il eut un air à la fois ironique et contrarié.

— Il ne vous va pas mal, en tout cas.

Il la toisa, puis sourit.

— Dommage que vous ayez attaché vos cheveux. Je vous préfère quand ils tombent sur vos épaules !

Troublée, Stella se détourna. Elle appela la maquilleuse.

— Poudrez bien, sinon on va avoir de faux reflets.

Bruce protesta mais Stella affecta l'indifférence et précisa d'un ton monocorde:

— Pas de transpiration pendant le tournage. C'est essentiel.

Au fond, la réaction spontanée de Bruce lui plaisait. Il avait riposté exactement comme elle s'y attendait.

— Vous agissez comme si vous étiez sur un vrai stade, reprit-elle. Après le coup de batte, vous souriez en regardant l'objectif.

Il se laissa maquiller sans broncher, observant Stella du coin de l'œil.

— Inutile d'envoyer la balle à travers le décor, ajouta-t-elle, le matériel coûte cher. Je vous demande simplement de faire semblant...

Il fronça les sourcils, irrité.

— Je ne suis pas complètement stupide !

— Je me contente de vous donner vos consignes de travail, répliqua-t-elle avec une lueur amusée dans les yeux.

Elle frappa dans ses mains.

— En place tout le monde !

Le lanceur, déjà en position, était une vieille

connaissance de Bruce. Il lui dit en manière de plaisanterie :

— Tu es très chic, Jones !

— Essaie d'envoyer la balle convenablement, dit-il sèchement.

Il se retourna vers Stella.

— Est-ce que j'ai droit à une batte ou bien je fais semblant ?

La jeune femme héla son assistant qui marquait à la craie les emplacements des acteurs.

— Roy, qu'on apporte la batte. Stan ? Tu es prêt ? Rappelle-toi, pas de gros plan...

Bruce l'interrompit.

— Mais cette batte est en aluminium !

Elle la lui prit machinalement des mains et l'examina distraitement.

— On dirait bien. Et alors ?

Il secoua la tête avec véhémence.

— Je n'en veux pas, dit-il. Je me sers toujours d'une batte en bois. Je n'arriverai à rien avec un tel engin.

Elle faillit répliquer, puis se ravisa.

— Roy, vois ce que tu peux faire pour M. Jones.

L'assistant partit vers les coulisses tandis que Stella, une intonation ironique dans la voix, demandait à Bruce :

— Autre chose ?

Il lui jeta un regard pénétrant.

— Tout le monde vous obéit toujours au doigt et à l'œil ?

— Sur le plateau, oui. Et je vous conseille de ne pas l'oublier dans l'avenir. De cette façon, tout ira bien.

— Pendant que nous sommes dans le studio, murmura-t-il entre ses dents ; mais je vous rendrai la monnaie de votre pièce !

Déjà, elle avait tourné les talons. Elle prit la place de Stan derrière la caméra et vérifia l'angle visuel. L'assistant de Stella revenait avec une nouvelle batte qu'il tendit à Bruce.

— En position, s'il vous plaît, Bruce, ordonna-t-elle.

Il perdit peu à peu son expression de contrariété et, à demi ébloui par les réflecteurs, il prit la pose : genoux fléchis, épaules alignées, la batte oscillant légèrement entre ses mains.

— C'est bon, déclara-t-elle en se poussant de côté pour laisser Stan reprendre sa place. Bruce, quand je vous donnerai le signal, vous regardez devant vous. Oubliez que nous sommes là. Ce n'est qu'après le coup de batte que vous devez lever les yeux vers la caméra... seulement à ce moment-là. D'accord ?

Bruce hocha la tête.

— Prêt, monsieur Friedman ?

Le lanceur acquiesça.

— J'espère ne pas rater mon coup, fit-il à l'adresse de Bruce.

— Ne démolis pas le décor, répondit-il d'un air sarcastique, il paraît qu'il coûte cher !

Stella jeta un coup d'œil autour d'elle puis leva le bras pour obtenir le silence complet.

— Attention ! Moteur... Action.

Elle étudia les gestes mesurés de Bruce se ramassant sur lui-même. Sa chemise de soie bleu nuit accrochait la lumière et accentuait le jeu des muscles sous le fin tissu. Elle compta mentalement les secondes. Bruce pivota avec élégance sur ses talons tandis que la balle arrivait sur lui. Il fit un pas de côté, mais le coup, porté trop haut, était impossible à rattraper. Il y eut un choc sourd derrière lui. Il haussa les épaules en signe d'impuissance.

Stella étouffa un cri de colère.

— Coupez !

Elle marcha vers lui, visiblement contrariée.

— Qu'est-ce qui ne va pas, Bruce ?

— La balle n'était pas bonne, répondit-il avec calme.

— Absolument pas ! protesta le lanceur.

Parmi l'équipe de tournage, certains prirent parti pour Bruce, d'autres pour Friedman, argumentant violemment en faveur de l'un ou de l'autre. Ignorant le tumulte qui grandissait autour d'elle, Stella continua à l'adresse de Bruce :

— Vous n'êtes pas en finale de championnat, dit-elle. Je vous demande seulement de frapper la balle. Vous remarquerez qu'il n'y a ni journalistes, ni supporters dans les gradins !

Il prit appui sur la batte et la fixa droit dans les yeux.

— Vous voulez que je renvoie une mauvaise balle ?

— Ne compliquez pas les choses ! rétorqua-t-elle. Nous avons un travail à accomplir et j'aimerais que l'on s'y mette sérieusement, c'est tout.

Il fit un geste de résignation.

— D'accord. C'est vous qui commandez... pour le moment.

Ils se regardèrent longuement, puis Stella retourna à sa place.

Cette fois, Bruce frappa de plein fouet la balle lancée par Friedman, l'envoyant voler par-dessus les panneaux du décor. L'équipe applaudit. Un sourire de satisfaction apparut sur les lèvres de Stella.

— Treize secondes, annonça une jeune femme munie d'un chronomètre et d'un bloc-notes.

— C'est bien, répondit-elle. On va recommencer. Ce sera peut-être la prise définitive.

Stan orienta la caméra. D'un signe de tête, il avertit Stella qu'il était prêt. Elle leva le bras.

— Attention ! Moteur... Action.

Elle l'observa avec attention. L'expression de son visage était parfaite, concentrée et tendue comme s'il s'agissait d'un vrai match et que la victoire dépendait de lui. Son esprit sportif avait pris le dessus, lui faisant oublier où il se trouvait et ce qu'il faisait réellement. Elle le vit soudain tourner sur lui-même. Tenant fermement la batte, il lui imprima un mouvement latéral. On entendit le son mat du cuir sur le bois. Stella eut la rapide vision de ses jambes puissantes, muscles bandés, solidement campées sur le terrain, de ses épaules noueuses vibrant sous l'effet du choc... et puis, soudain, quand il regarda la caméra, de ce sourire exprimant la joie pure, le bonheur enfantin du champion qui vient de marquer un point.

— Coupez ! dit-elle.

Un tonnerre d'applaudissements explosa dans le studio.

Bruce leva le pouce à l'adresse du lanceur.

— Joli coup, Friedman.

— Et qui vous met en valeur, Bruce ! Mais attention, c'est du cinéma. Dimanche, en face de l'adversaire, ce ne sera pas le même scénario !

Stella essuya la sueur qui perlait à son front.

— Chronométrage ?

— Quatorze secondes et cinq dixièmes, répondit une voix fluette.

Elle hocha songeusement la tête.

— On refait une prise et ce sera bon. Lumières ?

L'éclairagiste se pencha sur sa console.

— C'est O.K. pour moi.

— Alors, silence, ordonna-t-elle. Stan, prêt ? Moteur... Action.

Friedman et Bruce se lancèrent une œillade complice et l'on n'entendit plus que le ronronnement de la caméra.

Cette séquence-là fut presque parfaite. Cependant Stella refit deux essais afin d'avoir une marge de sécurité lors du montage. Néanmoins, elle était satisfaite. Ils avaient fini en un temps record. Le film partirait le jour même au laboratoire pour y être développé.

Elle félicita toute l'équipe et, prenant le verre d'eau fraîche que lui tendait son assistant, elle annonça :

— Que tout le monde soit prêt dans deux heures. Nous tournons en extérieur cette fois, devant le restaurant Wendy.

Elle consulta sa montre.

— Roy. Assure-toi que la Rolls arrive sur les lieux en même temps que le matériel et occupe-toi de la tenue et du maquillage de la partenaire de Bruce.

L'assistant acquiesça tout en prenant quelques notes rapides sur un carnet. Stella se dirigea vers Bruce et le lanceur qui bavardaient ensemble.

— Mes compliments, monsieur Friedman, vous avez été excellent.

Il sourit.

— Merci. Vous aussi. Vous êtes une vraie professionnelle ! Et quelle autorité !

Cette remarque l'amusa.

— Croyez-vous que j'aurais la poigne nécessaire pour entraîner une équipe de base-ball ?

Friedman lui fit un clin d'œil.

— Pourquoi pas ?

Stella se tourna vers Bruce.

— C'était parfait, Bruce.

— Vraiment ? Vous me comblez. Après tout, je suis un débutant...

Derrière eux, l'équipe s'affairait, rangeait caméras et projecteurs et les kilomètres de câbles électriques qui traînaient un peu partout.

Bruce serra la main de Stella dans la sienne et lui caressa doucement l'intérieur du poignet. Elle sentit les battements de son cœur s'accélérer. Elle s'efforça toutefois de dominer le trouble qui s'emparait d'elle.

— Vous ne devriez pas avoir de difficultés pour la prochaine scène. Qu'en pensez-vous ?

— Ce que j'en pense ?

Il l'entraîna vers une petite porte donnant dans les coulisses.

— Venez par là une minute.

— Que se passe-t-il ? Ecoutez, Bruce, j'ai beaucoup de travail...

Il referma le battant sur eux et, sans même lui laisser le temps de terminer sa phrase, il l'embrassa avec une ardeur qui la surprit. C'était un baiser impérieux, presque violent, qui lui coupa le souffle. Stella se sentit emportée dans un tourbillon impétueux et sauvage. Bruce donnait libre cours à la passion qu'il avait retenue au cours des dernières heures. Le fait de recevoir des ordres d'une femme dont la pensée l'obsédait, mais qui repoussait ses avances, l'avait positivement exaspéré... et ce, d'autant qu'il l'avait désirée pendant des jours et des jours, rêvant de son corps jusqu'à en perdre la raison. Ses sens exacerbés réclamaient à présent leur dû. Il la pressait contre lui, parcourait son visage de ses lèvres brûlantes. Il avait un tel besoin de la posséder corps et âme !

— Stella ! Si tu veux que je te conduise jusque... Oh ! Pardon...

C'était Stan. Il referma vivement la porte. Tandis que Bruce relâchait son étreinte, ils l'entendirent s'éloigner en sifflotant. Furieuse contre elle-même et contre son compagnon, Stella le repoussa avec vivacité.

— Je... je vous déteste !

— Pourquoi ?

— Ne refaites jamais cela pendant le travail !

Elle tenta de s'enfuir, mais il lui bloqua le passage, gardant le sourire alors qu'elle le foudroyait du regard.

— Je vous signale que nous avons fini, répliqua-t-il.

— Nous sommes dans le studio et c'est moi qui commande ici !

Ses yeux se rétrécirent. Elle dévisageait Bruce, la rage au cœur.

— La caméra ne tourne pas, Stella, dit-il. Ce n'est pas vous qui dirigez cette scène.

— Vous imaginez ce que peuvent penser mes collègues maintenant ! Si je perds mon autorité, ma crédibilité, je ne pourrai plus les diriger.

— C'est le fait que vous preniez plaisir à mes caresses qui vous effraie ou bien est-ce le désir que vous sentez sourdre en vous ?

Il se pencha vers elle, mêlant son souffle au sien.

— Je vous ai obéi toute la matinée, mademoiselle Gordon. Maintenant les rôles sont inversés.

Il pressa tendrement ses lèvres dont il suivit ensuite le contour du bout de la langue. Le désir les consumait et, en cet instant, ils comprirent que leur passion dominait toute autre force, tout autre sentiment.

— Nous avons du travail cet après-midi, dit-elle à mi-voix.

— Pendant le tournage, je ferai vos quatre volontés, répondit-il, mais ce soir...

Chapitre 6

Stella ne commença à filmer qu'en fin d'après-midi. La lumière naturelle convenait alors parfaitement à la séquence qu'ils tournaient. C'était une série de plans rapides. La Rolls s'arrêtait devant un restaurant. Bruce en descendait, vêtu du même ensemble que le matin, mais portant sur le bras un manteau de cuir beige. Il tendait alors la main à une jeune femme en robe du soir, parée d'un collier de perles et de boucles d'oreilles étincelantes. Elle découvrait une longue paire de jambes avant de sortir à son tour du véhicule, puis coulait un regard langoureux vers lui et ils s'éloignaient tandis que la caméra s'attardait sur leurs silhouettes. Une image que la voix off de Bruce accompagnerait du slogan publicitaire : « La ligne Di Marco. Pour les hommes qui aiment sortir. »

Le spot ne devait pas dépasser douze secondes. Ajouté à celui du matin, plus le plan final, l'ensemble aurait une durée de trente secondes.

— Stan. Je veux que tu filmes l'arrivée de la voiture, ensuite zoom avant sur Bruce. Il faut insister sur le fait qu'il porte le même costume que sur le terrain de base-ball. Inutile de t'attarder sur sa partenaire, ajouta-t-elle d'un air entendu.

Le cameraman tira de sa poche arrière une casquette aux couleurs de l'équipe des Pirates.

— Vous la voulez ? demanda-t-il à Stella. Histoire de rentrer dans le jeu.

— Quel jeu ?

Il sourit et passa une main dans ses cheveux crépus.

— Le jeu du plus fort. On donne les Pirates à dix contre un pour dimanche.

Elle secoua la tête et le dévisagea avec une moue désapprobatrice. Il coiffa la casquette sans rien ajouter et prit place derrière la caméra.

— Tout le monde est prêt ? demanda-t-elle à la ronde.

L'éclairagiste fit une rapide mise au point puis hocha la tête. Roy vint se placer près de Stella, le script à la main.

— Allons-y ! dit-elle. Action !

La Rolls arriva lentement dans l'allée et s'immobilisa à l'emplacement convenu. Bruce ouvrit la portière et descendit, puis se tourna vers sa ravissante compagne. Stella plissa le front tout en continuant à compter mentalement les secondes.

Bruce n'était pas du tout naturel. Elle s'en rendit compte immédiatement. Elle attendit quelques minutes avant de lui parler, sachant à quel point il était susceptible.

Le chauffeur fit marche arrière. D'un geste de la main, elle indiqua qu'elle avait quelques mots à dire à Bruce avant la prochaine prise de vues. Elle l'entraîna un peu à l'écart et commença d'une voix calme et posée :

— Il faut vous détendre, Bruce.

Il remarqua son changement de ton et d'attitude par rapport au matin. Cela l'irrita et il eut un mouvement de retrait.

— Qu'est-ce qui ne vous plaît pas ?

Elle prit sa respiration.

— D'abord, essayez de croire à ce que vous faites...

Il l'interrompit brutalement.

— Si je n'y croyais pas, je ne serais pas là.

— Vous n'êtes pas à l'aise, c'est visible.

Il se renfrogna. Avant qu'il ne proteste, elle continua :

— Ne vous énervez pas. Jouez le jeu et tout ira bien.

— Je ne suis pas un acteur, Stella.

— Je ne vous en demande pas tant, répliqua-t-elle aussitôt.

Elle sourit pour tenter de le calmer.

— Vous connaissez le scénario. Vous êtes un champion. La vie est belle. Vous êtes de sortie dans une voiture de maître avec une splendide créature. Montrez-nous que vous êtes heureux et fier de vous. Ce n'est pas si compliqué.

Elle arrangea son col de chemise et sourit à nouveau.

— Je suis certaine que vous vous en tirerez très bien avec un petit effort.

— Cette jeune personne, Nina, où l'avez-vous donc trouvée ?

— Nina ?

— L'actrice que vous m'avez gentiment adjointe, fit-il ironiquement.

— Quel homme capricieux vous faites ! Je ne vous demande pas de l'épouser.

Il ouvrit la bouche pour répliquer puis se

ravisa. Jusqu'à présent, personne ne l'avait jamais accusé d'être capricieux. Il savait faire abstraction de lui-même pour mettre l'équipe en valeur, obéir aux ordres de l'entraîneur sans discuter, non qu'il fût bêtement docile, mais parce qu'il croyait au pouvoir de la discipline. Mais ce qui faisait la différence, il s'en rendait compte aujourd'hui, ce n'était pas tant les directives que la personne qui les donnait. Il jeta un regard en coin à Stella. Bientôt, projecteurs et caméras seraient chargés à bord des camions. Il pourrait alors imposer ses propres règles...

— C'est bon, dit-il avec un sourire. Je suis prêt à essayer de nouveau.

Elle le dévisagea avec suspicion tandis qu'il marchait vers la Rolls. L'expression qu'il arborait ne lui inspirait qu'à moitié confiance.

Cependant, il ne lui donna aucune raison de se plaindre pendant les deux heures de travail qui suivirent. Elle eut en fait beaucoup plus de mal avec Nina qui cherchait absolument à s'exhiber et à jouer de ses charmes alors qu'elle avait un rôle de faire-valoir. Stella dut la prendre à part et le lui expliquer pour arriver à un résultat à la troisième prise de vues.

— Cette fois, on ferme! annonça-t-elle à la ronde. Bravo et merci à vous tous.

Elle cambra les reins et s'étira. Debout depuis le matin, elle avait à peine eu le temps de grignoter un sandwich pendant les pauses et ressentait à présent la nécessité d'un bon repas et d'une nuit de sommeil. Elle était cependant satisfaite de sa journée de travail et des progrès accomplis par Bruce.

— Stan. Le montage aura lieu demain matin. Si tu veux venir... Tu sais que tu as un droit de regard sur ton film.

— Eh! Demain, c'est samedi.

Elle sourit et rabattit la visière de sa casquette sur ses yeux.

— Je le sais. On commence à dix heures.

Elle se tourna vers Nina et lui serra la main.

— Vous avez très bien interprété votre rôle, lui dit-elle. Roy! Occupe-toi de la Rolls. Je te conseille de la ramener sans dommages au garage ou tu auras affaire à Claire!

Bruce la regardait sans rien dire, bras croisés, un mince sourire aux lèvres.

— Eh bien! Vous avez survécu à cette première journée de tournage. Qu'en pensez-vous?

Il hocha la tête d'un air dubitatif.

— On enregistrera la voix demain.

— Vous avez pour habitude de travailler le week-end? demanda-t-il.

— Lorsque c'est nécessaire, je n'hésite pas. Nous comptons diffuser ce spot pendant la semaine des matchs de finale. L'impact publicitaire sera décuplé.

— Je vois.

Ils se dirigèrent vers le parking tandis que les techniciens finissaient de replier le matériel.

— Où est votre voiture? lui demanda-t-elle.

— Je l'ai laissée au studio.

Elle fronça les sourcils et jeta un coup d'œil à sa montre.

— Je vous dépose. C'est sur ma route.

Elle fouilla dans son sac à la recherche de ses clés.

— Voulez-vous que je conduise ? demanda Bruce.

— Pourquoi ?

— Je me disais que vous deviez être épuisée. Vous n'avez pas arrêté une seconde depuis ce matin.

— Lorsque je travaille, je ne sens pas la fatigue, répondit-elle vivement.

Elle ouvrit la portière et s'installa au volant.

Bruce l'observa un instant puis lui caressa la joue du dos de la main.

— C'est vrai que vous êtes très résistante...

Stella démarra et enclencha la première.

— J'ai peur que la traversée de la ville ne soit difficile à cette heure-ci.

— Je ne suis pas pressé, dit-il.

Il se cala confortablement sur son siège.

— Vous savez cuisiner ?

Stella prit un air offusqué. La voiture filait déjà sur l'avenue.

— Bien sûr que je sais cuisiner, répondit-elle en riant.

— Parfait. Alors vous m'invitez à dîner chez vous.

Elle freina. Une longue file de véhicules attendait au feu. Les lumières de la ville jetaient dans le ciel des éclairs de néon orange et blancs.

— Eh ! Vous ne croyez pas que vous allez un peu vite ? répliqua-t-elle.

— Non. Je peux même vous dire qu'au cours de cette soirée on ne se bornera pas à dîner.

Stella déboîta, doubla plusieurs voitures, puis se rabattit brusquement.

— Ah ! Vraiment ?

Elle lui décocha un regard incendiaire. Il n'en soutint pas moins son regard.

— N'oubliez pas que nous avons changé de scénario. Vous n'êtes plus le metteur en scène.

Il jouait nonchalamment avec ses boucles de cheveux et effleurait sa nuque d'une main caressante.

— J'ai peut-être mon mot à dire, non ?

— On pourrait en discuter dans un endroit tranquille. Je ne vous effraie pas, au moins ?

Ses sarcasmes l'indisposaient. Elle décida de ne plus lui répondre. Elle descendit le boulevard de ceinture à toute allure et fit un slalom acrobatique entre les véhicules qui roulaient au pas.

— Vous savez que vous êtes un danger public ? remarqua-t-il.

— Oui.

Le ton sec et cassant de Stella mit un terme à ses réflexions.

Il haussa les épaules.

— Ce que j'en disais, moi...

La fureur de la jeune femme n'avait pas altéré la sensation de bien-être et de sérénité qu'éprouvait Bruce et, lorsqu'elle freina brutalement au bout de l'allée, il regarda autour de lui d'un air paisible. L'automne s'annonçait déjà. Certains arbres prenaient des teintes jaune et or. La maison était entourée de taillis et de fleurs créant une harmonie étrange et extravagante.

Sans un mot, Stella descendit de voiture et claqua la portière derrière elle. Bruce la suivit, mais à son propre rythme, c'est-à-dire avec une lenteur calculée. Si Stella contenait sa rage, ce n'était pas pour lui déplaire. Il n'aimait pas les victoires faciles. Depuis leur rencontre, il avait pris autant de plaisir à cette petite guerre qu'ils se livraient qu'à imaginer le jour où elle lui céderait enfin. Quand deux êtres s'affrontaient avec une telle violence, une telle flamme, ils étaient voués à devenir ennemis ou amants. Or Bruce n'avait aucune intention de s'attirer la haine de Stella.

Elle poussa la porte et entra sans lui accorder un regard. La cheminée attira tout de suite son attention. Elle était large, bâtie tout en briques rouges et munie d'une large hotte qui s'élevait jusqu'au plafond décoré de larges poutres transversales. Un grand canapé couvert de coussins lui faisait face. Un tapis de laine était jeté sur le parquet et, dans l'angle près de la fenêtre, se trouvait une table en chêne massif sur laquelle Stella avait posé des magazines de mode. Bruce s'attarda devant l'étagère où étaient disposés des objets hétéroclites. Un vieux pot en porcelaine, un koala en peluche, des coquillages, un morceau de bois de santal et un automate, un chimpanzé qui entrechoquait des cymbales quand on le remontait. Au-dessus de lui, Bruce vit une rambarde de bois naturel qui courait tout le long de la mezzanine. Il aimait cette impression d'espace, cette luminosité, cette tranquillité. Ce décor lui en apprenait davantage que tout ce qu'elle aurait pu lui confier. Il se demanda ce qui subsistait du passé qui fût encore susceptible de la faire souffrir.

Troublée par le silence de son compagnon et par l'œil inquisiteur qu'il jetait sur son intimité, elle sortit une bouteille du meuble à apéritifs et dit brusquement :

— Si vous voulez visiter, ne vous gênez pas. Moi, je vais prendre un rafraîchissement.

— Ce sera la même chose pour moi, fit-il avec ironie. Je préfère attendre la visite guidée.

Il se laissa tomber sur le canapé. A la vue du tas de cendres dans l'âtre, il en déduisit que Stella utilisait souvent la cheminée.

— Il ne manque plus qu'un feu de bois et ce sera parfait, dit-il d'une voix nonchalante. Vous avez des bûches ?

— Derrière, dans le cellier.

Elle lui tendit son verre sans le regarder, inhospitalière au possible.

Il le posa par terre et lui prit la main.

— Asseyez-vous. Vous avez été debout toute la journée.

L'allure dégagée et confiante qu'il arborait acheva de lui déplaire.

— Laissez-moi tranquille !

Elle poussa un cri de surprise tandis qu'il l'attirait de force près de lui. Elle aurait dû s'y attendre cependant, sachant que sous son apparente indifférence Bruce cachait un certain entêtement. Elle s'en voulut alors de se montrer si faible.

— Pour qui vous prenez-vous ? s'exclama-t-elle. Vous faites irruption chez moi et il faudrait non seulement que je vous serve à dîner, mais aussi que je fasse preuve de complaisance.

Il l'interrompit d'un geste de la main.

— Vous avez faim ?

— Non ! Pourquoi cette question ?

Il passa un bras autour de ses épaules et étendit les jambes en soupirant d'aise.

— D'habitude, vous avez faim quand vous êtes de mauvaise humeur.

Elle s'efforça de contenir la colère qui bouillonnait en elle.

— Eh bien, pour une fois, vous vous trompez !

— Un peu de musique ? demanda-t-il.

Elle serra les poings. Comment osait-il ? Il se comportait comme s'il était chez lui et qu'elle était son invitée !

— Vous devriez vous détendre.

D'une main ferme, il commença à lui masser la base de la nuque. Une sensation de chaleur remonta le long de son dos. Elle le repoussa néanmoins.

Bruce la dévisagea alors avec insistance.

— Stella. Quand vous m'avez appelé il y a quelques jours, vous saviez ce qui allait se passer entre nous...

— J'ai seulement dit que je vous verrais.

Elle tenta de se relever, mais il la retint par le bras.

— Et vous n'aviez vraiment aucune idée de ce qui risquait d'arriver ?

Il rencontra son regard courroucé et sourit.

— Vous auriez pu refuser que je vienne jusqu'ici... mais vous ne l'avez pas fait.

Elle frémit sous l'emprise de son regard.

— Pouvez-vous affirmer que vous ne me désirez pas ?

— Ne vous attendez pas à ce que je vous réponde. Je suis ici chez moi et...

— De quoi avez-vous si peur ?

108

Elle dut faire un effort surhumain pour ne pas baisser les yeux.

— Je n'ai pas peur.

— C'est l'idée d'être à moi qui vous effraie ?

Elle se dressa d'un bond, le rouge aux joues, en proie à la plus grande confusion. La colère, la peur et la souffrance déchiraient son cœur. Elle avait l'impression de se retrouver dix ans en arrière. L'insécurité, le doute, la torturaient à nouveau. Elle rejeta ses cheveux dans son dos et le fixa avec fureur.

— Puisque c'est ce que vous voulez, fit-elle d'un ton cassant, alors ne tergiversons plus.

Elle se dirigea d'un pas décidé vers l'escalier, s'arrêta à mi-chemin et lui décocha un coup d'œil plein de hargne.

— Vous venez ?

Sans attendre sa réponse, elle gravit les marches. Rageuse, elle alla droit à sa chambre et se figea au pied du lit. Bruce l'avait suivie. Le seul moyen d'exorciser cette passion qui semait trouble et désordre en eux était probablement de satisfaire leur désir et d'apaiser leurs sens. Ils pourraient alors faire la part de l'attirance et de l'animosité qu'ils éprouvaient tout à la fois l'un pour l'autre. La crainte l'assaillit de nouveau tandis qu'il l'observait. Le défiant du regard, elle commença à se déshabiller. Bruce hésita un instant à lui dire de s'arrêter avant qu'il ne soit trop tard, puis il résolut de jouer le jeu et se dévêtit à son tour. Bien qu'il ressentît le besoin de la rassurer, de la calmer, il n'en fit rien, sachant qu'elle refuserait tout compromis.

Lorsqu'elle fut nue, Stella tira le dessus-de-lit, puis se tourna vers lui.

— Alors ?

Il la détailla, tandis que le désir déferlait en lui telle une vague brûlante. L'attitude provocante de la jeune femme contrastait avec la fragilité de son corps, avec cette peau délicate, presque transparente. Lui apporter douceur et protection, voilà ce qu'il souhaitait par-dessus tout. Lentement, il se rapprocha d'elle et lui saisit les poignets. Elle détourna nerveusement les yeux, mais, saisissant sa chevelure à pleines mains, il l'obligea à soutenir son regard. La colère qui couvait en elle aurait sans doute refroidi n'importe quel homme, pourtant Bruce sourit. Il n'avait rien perdu de son assurance.

Immobile, tendue, elle le laissa dénouer ses cheveux et les répandre sur ses épaules. Un frémissement la parcourut à l'idée qu'il allait la toucher, la caresser, mais Bruce, contrôlant soigneusement chacun de ses gestes, l'effleura à peine du bout des doigts.

— Magnifique ! s'exclama-t-il tandis qu'il contemplait ses cheveux qui retombaient en cascade.

Avec une infinie délicatesse, il souleva l'une des mèches aux reflets dorés dont il respira le parfum. Stella se mit à trembler. Elle sentit ses jambes se dérober sous elle. Ce supplice allait-il durer encore longtemps ?

Elle gardait ses yeux rivés aux siens, résistant à l'envie de se blottir contre sa poitrine, d'enfouir son visage dans sa toison odorante, de s'accrocher à ses épaules, à son cou puissant où les muscles saillaient. Il se pencha alors et pressa ses lèvres dans le creux de son aisselle. Stella sursauta comme sous l'effet d'une brûlure, mais il avait passé ses bras autour de sa taille et la maintenait enlacée.

— Calmez-vous, murmura-t-il.

Il descendit jusqu'à sa gorge où il déposa un baiser furtif, tandis que ses mains parcouraient son dos avec fébrilité. Le creux satiné de ses reins l'attirait comme une promesse. Loin de l'apaiser, ses caresses l'enflammaient et la jeune femme, dans un dernier effort pour résister à la faiblesse qui s'emparait d'elle, tenta de le repousser. Il desserra son étreinte, la fixa intensément, fou de désir, puis avec une lueur d'ironie dans les prunelles il lui demanda :

— Voulez-vous que nous en restions là ?

C'était à son tour de la provoquer à présent. Il l'observait de ce regard farouche et redoutable qu'elle lui connaissait trop bien.

— Vous vous moquez... Ce n'est pas digne de vous...

Elle n'eut pas le loisir de poursuivre. Déjà, il avait pris ses lèvres et l'embrassait avec tant de douceur qu'elle en eut soudain le vertige. Comme au travers d'un brouillard, elle noua ses mains autour de son cou et se pressa contre lui.

Bruce la renversa doucement sur le lit et s'allongea à ses côtés. Stella sentit sa volonté lui échapper tel un filet d'eau qui se serait écoulé entre ses doigts. Il lui semblait que tout son être se fondait en lui. Elle s'étirait délicieusement sous les caresses lentes et précises de son compagnon, sans qu'elle ait la force de lui résister. Sûr de lui, il guettait l'instant où elle s'abandonnerait, ne cessant de lui prodiguer ses baisers. Grisée, haletante, Stella se laissait emporter dans un irrésistible tourbillon de plaisir et de volupté.

Quand il embrassa doucement le bout de ses seins, elle gémit, se cambra, allant au-devant de ses mains qui avançaient résolument vers la source même du feu qui la dévorait. Tour à tour brûlante et parcourue de frissons, lascive et exaltée, elle s'offrait maintenant à lui sans réserve. Elle plongea ses mains dans ses cheveux et l'attira plus près encore.

— Aime-moi, chuchota-t-elle, la gorge nouée par l'émotion.

Il inclina son corps, lui arrachant des soupirs de plaisir.

— Tout de suite...

Mais il prolongeait délicieusement leur attente avec le dessein de l'entraîner au-delà de la jouissance, dans un monde d'ineffables délices, de fièvre et de frénésie.

Leurs regards se rencontrèrent. Les yeux noyés, la jeune femme le suppliait, sans qu'il cessât de garder cette expression redoutable et énigmatique, presque sauvage...

Il enserra ses poignets, sentant battre son pouls sous ses doigts, puis reprit la lente et subtile exploration de son corps. Bientôt, ses caresses se firent plus audacieuses. Elle sentait le rythme long de sa respiration et son trouble s'accentua. Elle avait perdu toute notion du temps. Il lui semblait que leur étreinte durerait toujours, qu'il allait la déposer, haletante, ivre de plaisir, sur une grande plage lumineuse, là où il n'y aurait plus qu'eux deux.

Elle s'agrippa à ses épaules, impatiente soudain de sentir ses muscles tendus sous ses paumes brûlantes. Tout à la douceur de leurs corps confondus, souffles mêlés, ils roulèrent sur le lit et se donnèrent l'un à l'autre. Une joie indicible les submergea au même instant, unissant comme par magie leurs corps et leurs âmes.

Chapitre 7

Encore à demi endormie, Stella s'étira en bâillant et sourit de bonheur. Elle se sentait habitée par un sentiment de paix et de liberté qui annihilait toute autre pensée. C'était une de ces matinées où l'on aime à paresser sans se soucier d'affronter le monde et ses tracas. Elle frotta ses yeux lourds de sommeil. Le drap avait glissé, la découvrant à moitié. Elle le tira sur sa poitrine et se pelotonna contre Bruce. Maintenant qu'elle était tout à fait éveillée, la soirée lui revenait en mémoire. Elle s'était donnée sans arrière-pensée, s'abandonnant à la passion qui les avait irrésistiblement jetés l'un vers l'autre. Ils s'étaient laissé mener par l'impérieux désir qui avait pris possession d'eux, atteignant ensemble la volupté suprême. Grisée par ses lentes et savantes caresses, Stella s'était découvert une ferveur et une force infinies. Il avait su allumer en elle la soif insatiable d'aimer et d'être aimée. Mais, au-delà du plaisir et de l'allégresse, elle prenait conscience de la violence de l'instinct qui l'avait poussée vers lui et elle savait d'expérience à quel point ces élans pouvaient être dangereux. Elle en avait déjà trop souffert.

Le jour se levait. Dans la semi-clarté de la chambre, le visage de Bruce apparaissait calme et détendu. Il avait un bras passé autour d'elle et son souffle tiède effleurait sa joue. De quoi avait-elle peur ? Ce besoin impulsif qu'elle avait éprouvé était-il un avertissement ? Oui, elle devait réagir avant qu'il ne soit trop tard, dominer ses émotions, reprendre le contrôle d'elle-même. Résistant à l'envie de se pelotonner contre lui, elle s'écarta doucement. Il resserra alors son étreinte.

— Non, murmura-t-il.

Il entrouvrit les paupières.

— Il n'est pas l'heure de se lever.

Il l'attira plus près de lui encore et la caressa d'un geste nonchalant. Stella sentit la chaleur de son ventre contre le sien et tressaillit. Le désir de se blottir dans ses bras était si fort qu'elle en fut effrayée.

— Bruce, je...

Elle ne put terminer sa phrase car il avait pris sa bouche, l'embrassant avec fougue. Elle sentit à nouveau sa volonté fondre sous ses caresses et partir à la dérive. Tout effort pour combattre le trouble qui la gagnait était voué à l'échec, elle le savait d'avance.

Elle gémit faiblement. La main de Bruce suivait la courbe de son sein, descendait vers son ventre. Il avait deviné ses appréhensions au premier coup d'œil. Un sentiment confus de colère et de peine l'envahit.

— Des regrets, déjà ?

Il la dévisagea. La flamme de la passion brûlait dans ses prunelles.

— Ce n'est pas malin ce que vous dites, répondit-elle.

— Vraiment ?

Il s'efforçait de maîtriser son irritation, ignorant la tristesse qui lui serrait le cœur. Il était conscient du fait que Stella livrait un double combat : contre elle-même et contre lui.

— Pourquoi ? demanda-t-il.

— Il ne s'agit pas de regrets, vous le savez bien.

Il effleura les lèvres de la jeune femme du bout du doigt et continua à la fixer avec la même intensité. Stella frissonna.

— Qu'est-ce alors ?

Elle soutenait son regard. Détourner les yeux aurait été un signe de capitulation et elle ne le voulait pas.

— Il faut regarder les choses en face. Nous allons travailler ensemble un certain temps, ou plutôt, vous allez être sous ma direction. Si nous sommes amants, comment voulez-vous...

— Comme vous êtes compliquée !

Tandis qu'il se tournait vers la jeune femme, le mouvement de son corps contre le sien attisa le feu qui couvait en elle.

— Nous ne pouvons pas continuer ainsi.

Il sourit.

— Et pourquoi ?

— Parce que...

Stella avait quantité de bonnes raisons pour se justifier, mais elle ne parvenait pas à mettre de l'ordre dans son esprit. Ses pensées s'effilochaient comme des brins de coton au vent. Bruce déposa un baiser sur ses lèvres.

— Vous ne pouvez donc pas vous laisser aller et profiter de la vie sans vous poser de questions ?

Elle plissa le front, troublée par ses paroles.

— C'est-à-dire ?

116

— Vous êtes capable de travailler comme une forcenée, poursuivit-il. C'est parfait. Vous aimez ce que vous faites et vous vous battez pour être la meilleure. C'est très bien. Mais il faut savoir aussi laisser le champ libre à l'oiseau...

— L'oiseau ?

Elle éclata de rire.

— Expliquez-moi, dit-elle, soudain plus détendue.

— Vous voyez ce que je veux dire. Je parle du bonheur de vivre, de ces petits riens qui font le charme de la vie.

Stella avait la désagréable impression qu'il détournait adroitement la conversation.

— Quel rapport entre l'oiseau et nous ?

— Avez-vous déjà aimé quelqu'un ?

Elle se raidit, mais il n'en poursuivit pas moins.

— Je ne parle pas d'un flirt de passage, mais d'un homme avec qui vous auriez voulu vivre ?

En fait, c'est ce qu'il aurait souhaité avec elle, mais il savait qu'elle lui résisterait et qu'il devrait conquérir chaque pouce de terrain. Peu importait, sa vie entière avait été un combat et jusqu'ici il avait toujours gagné.

Elle le regardait, songeuse. Il avait à nouveau vaincu ses résistances. Sans lui répondre, Stella l'attira à elle et l'embrassa doucement sur le front.

— A vous entendre, tout paraît très simple.

— Non, le bonheur ne l'est pas toujours, répliqua-t-il, mais pour l'instant je n'ai qu'une envie : être avec vous. C'est là mon seul bonheur...

Il caressa sa joue du bout des doigts.

— ... vous égayer, vous aimer... vous apporter ce que vous recherchez...

Stella sourit. Il la serra dans ses bras, épiant ses réactions.

— Plus j'y réfléchis, plus je pense qu'entre nous rien ne sera facile, dit-il. Vous êtes tellement entière, tellement exigeante.

— C'est un reproche ?

— Peut-être pas.

Elle s'abandonna à ses caresses. Il avait su la toucher au plus profond d'elle-même, atteindre le cœur de sa sensibilité. Etait-elle assez forte cependant pour tenter cette aventure sans perdre sa personnalité ? Certes, ils pouvaient sans doute passer de bons moments ensemble ; elle prenait toujours grand plaisir à se trouver en sa compagnie. Sans préjuger de leurs relations, il avait souhaité qu'ils fussent amis ou amants, et voilà que, presque simultanément, ils étaient devenus l'un et l'autre. Mais, déjà, la peur de le perdre s'insinuait en elle et l'empêchait d'être tout à fait heureuse et détendue.

— Je ne peux pas me permettre de vous aimer, déclara-t-elle à mi-voix.

— Etrange déclaration, dit-il sans cesser ses caresses.

— Cessez de vous moquer de moi !

Pour se faire pardonner, Bruce l'attira contre lui et l'embrassa.

— Il est encore trop tôt pour se lever, murmura-t-il.

Elle fit la moue.

— Je n'ai plus sommeil.

118

— Moi non plus, répondit-il avec un large sourire. Mais pourquoi se presser ?

Il la serra davantage tandis qu'elle se glissait le long de son corps. Elle l'entendit soupirer de contentement. Immédiatement il se tendit vers elle et gémit doucement. Consciente du pouvoir qu'elle exerçait sur lui, elle éprouva soudain une délicieuse sensation d'audace et de liberté. Ses lèvres effleuraient sa chair, s'imprégnant de son odeur, glissaient sur ses muscles qu'elle sentait frémir sous sa caresse. Sa puissance physique l'excitait et la troublait merveilleusement, d'autant qu'il devenait soudain d'une tendresse et d'une fragilité surprenantes. Cette nuit, elle lui avait offert davantage que son corps. Subtilement et presque à l'insu de Stella, il avait trouvé le chemin de son âme. Maintenant, elle désirait un partage sans réserve.

Elle remonta jusqu'à sa bouche et l'embrassa passionnément. Une bouffée de plaisir l'envahit tandis que les battements de son cœur s'accéléraient. Il prit son visage dans ses mains. Elle entrevit ses yeux bleus, emplis de désir, qui la fixaient fiévreusement. Le vertige la saisit comme si elle se perdait dans ce regard, dans cette force enivrante qui les emportait tous deux. L'attirant contre lui avec fougue, Bruce murmura à son oreille d'une voix rauque et pressante :

— Stella... Maintenant... J'ai besoin de toi...

Sa bouche chercha fébrilement la sienne.

— J'ai besoin de toi... répéta-t-il.

Elle s'abandonna alors à son étreinte, des larmes de joie dans les yeux.

Il était à peine dix heures lorsque Claire entra dans le studio de montage. Personne ne parut surpris de la voir, bien que ce fût un samedi. Quand un contrat était signé, elle en suivait l'exécution jusque dans ses moindres détails. Elle portait un tailleur grenat, sans doute une création d'un couturier français à en juger par la coupe d'un chic raffiné.

— Bonjour tout le monde !

Elle alla droit vers la cafetière et se remplit une tasse.

— C'est moi qui l'ai préparé, dit Stan. J'en avais assez de cet infâme jus de chaussette.

Elle hocha la tête, respirant le parfum à la fois doux et amer du café. Elle avait grand besoin d'un stimulant ce matin. Danser jusqu'à trois heures du matin ! Fallait-il qu'elle soit folle, songeait-elle en souriant intérieurement. Mais, quoi de plus délicieux de temps à autre que de faire des folies ? N'était-ce pas un signe de jeunesse ?

— On m'a dit que le tournage s'était déroulé sans problèmes.

— Une vraie partie de plaisir, déclara Stan. Bruce a été parfait.

— Stella n'est pas arrivée ?

— Je ne l'ai pas vue.

Elle fit un signe à l'opérateur.

— Vous êtes prêt, Dave ?

— Quand vous voulez, madame Thornton.

Ils entendirent alors la voix de Stella dans le couloir.

— De toute façon, disait-elle, vous n'avez pas

de droit de veto sur le film. Autant vous y faire tout de suite.

— Je peux avoir quelque chose d'intelligent à dire, on ne sait jamais.

— Bruce ! Vous êtes infernal.

Les traits de la jeune femme se figèrent. Elle promena son regard sur la petite assemblée silencieuse qui semblait n'attendre qu'elle.

— Bonjour ! lança-t-elle gaiement.

— J'espère que le café est bien chaud, ajouta Bruce.

— Brûlant, répondit Claire.

Elle fit un sourire en coin, vaguement moqueur, qui trahissait ses pensées. Il le remarqua mais n'en laissa rien paraître.

— Bonjour, Claire, fit-il.

Il remplit deux tasses et en tendit une à Stella.

— Voyez-vous un inconvénient à ce que j'assiste à la projection ? demanda-t-il.

— Pas le moins du monde, répondit Claire. Au contraire.

— A condition que vous vous teniez tranquille, précisa Stella.

— Allez, Dave ! Voyons un peu ce chef-d'œuvre !

L'opérateur glissa un regard amusé à Claire puis, manipulant une série de boutons sur la console de commande, il fit apparaître l'image sur l'écran.

— La première prise de vues n'est pas bonne, commenta Stella. Bruce pensait que le lanceur avait raté son coup.

Bruce esquissa un sourire.

— Je ne le pensais pas, j'en étais sûr !

— L'éclairage est très bon, en tout cas, dit Claire.

Ils passèrent en revue les essais enregistrés ce matin-là. Claire et Stella détaillaient les attitudes de Bruce, analysant chacun de ses mouvements, comme s'il n'était pas là. Après s'être insurgé contre cette façon de faire, il finit par s'en amuser.

— Voilà la scène que je voudrais garder, fit remarquer Stella à un moment donné. Cet air d'impertinence accentue encore son pouvoir de séduction.

Bruce faillit s'étouffer avec son café, mais ni Stella ni Claire ne détournèrent la tête.

— Oui, c'est bon, très bon, dit Claire. Il évolue parfaitement et semble très à l'aise.

Il était habitué à entendre de continuelles critiques de la part de ses entraîneurs comme des journalistes de sport mais, venant de Stella, ces propos l'horripilaient. Elle parlait de lui comme d'un objet et il ne pouvait l'accepter.

L'opérateur rembobina le film pour une seconde projection. Oui, il faudrait exploiter le visage de Bruce. Les deux femmes convenaient qu'il était particulièrement photogénique. Stella suggéra également que dans un autre spot on le vît courir pour vanter la souplesse et la robustesse de la ligne Di Marco. Peut-être pourrait-il même tourner une séquence en short, à condition toutefois qu'il ait des jambes parfaites. La moindre imperfection se voyait à l'écran.

Il la foudroya du regard, mais elle détourna les yeux et sourit innocemment à l'adresse de Claire, continuant ensuite à faire ses commentaires

122

comme si de rien n'était. Bruce la maudit silencieusement, enrageant de ne pouvoir lui dire ce qu'il pensait à voix haute.

— On a enregistré sa voix ce matin, fit Stella une fois la projection terminée. C'est assez bon, je crois. Reste à savoir s'il est capable de soutenir un vrai dialogue. Impossible de juger sur une seule phrase.

L'ingénieur du son, une jeune femme en jean et sweat-shirt, plaça la bande sur le magnétophone et enclencha une touche.

Claire écouta attentivement. Ses traits se détendirent. Elle eut un sourire de satisfaction.

— Très stylé, dit-elle. Di Marco sera content quand il l'entendra.

Stan tira une cigarette d'un paquet tout froissé et dit au chef monteur :

— Troisième prise pour les deux premiers plans et cinquième pour le dernier plan. Vous êtes d'accord, Stella ?

Elle approuva d'un hochement de tête.

— Dave, intervint Claire, vous me préviendrez quand le montage sera fini.

Elle consulta sa montre et fronça les sourcils.

— Vous ne vous êtes pas trop ennuyé ? demanda-t-elle à Bruce.

— Absolument pas. J'ai beaucoup appris aujourd'hui.

Il coula un regard ironique vers Stella.

— Que diriez-vous de vous joindre à nous pour le déjeuner ?

— C'est impossible, malheureusement, répondit-il, j'ai des obligations à l'autre bout de la ville.

Claire sourit et lui tendit la main.

— Bon, eh bien, tant pis ! Vous m'excuserez, mais le travail m'attend.

Elle se tourna vers Stella, l'air soucieux, comme si elle venait de se rappeler quelque chose d'important.

— Ah ! Stella. Passe me voir dans dix minutes.

Elle jeta un dernier regard sur l'assemblée, puis sortit en coup de vent, laissant derrière elle un sillage parfumé. Bruce entraîna Stella dans le couloir après avoir salué tout le monde.

— A vous entendre toutes les deux, on croirait que c'est moi le produit à vendre !

Elle éclata de rire et secoua la tête.

— Mais c'est précisément ce que vous êtes, Bruce !

Une lueur de colère s'alluma dans ses yeux.

— Je ne suis pas d'accord. Je porte des vêtements que vous êtes chargée de promouvoir, un point c'est tout.

Elle résolut de jouer la carte de la prudence. Inutile de l'irriter davantage.

— Ce n'est qu'une question de point de vue. En tant que metteur en scène, je ne peux pas faire de différence. Vous ne faites qu'un avec le produit. Essayez de me comprendre.

Son raisonnement était logique mais Bruce n'en avait cure.

— Je refuse d'être traité comme une simple marchandise !

Elle poussa un soupir exaspéré.

— Que de manières ! Etes-vous si susceptible lorsque vous exercez votre métier ? Pourtant, vous contribuez à la vente de milliers de places à chaque match, de carnets d'abonnement, de casquettes aux couleurs de votre équipe, sans compter tout le reste. Cela revient exactement au même. Ne soyez pas si fier !

— J'étais capricieux et voilà que maintenant je suis fier. Merci pour les compliments.

Stella tressaillit. Une peur inexplicable l'étreignit soudain.

— Je vous l'ai dit au départ, dit-elle d'un ton posé. Ce n'est pas facile. Il faut savoir se soumettre à certains impératifs. Je suis désolée, Bruce, c'est la règle du jeu.

Il la dévisagea un long moment. Un mince sourire se dessina sur son visage. Il effleura la joue de Stella d'une main caressante, puis l'embrassa du bout des lèvres.

— Je vous rejoins ici à cinq heures, d'accord ?

Soulagée, elle répondit à son sourire :

— Si vous voulez.

— Vous pourriez peut-être me cuisiner ce fameux dîner que vous m'avez promis.

— Je ne vous ai rien promis du tout, corrigea-t-elle. Mais on verra...

— J'apporte le vin. A tout à l'heure.

Comme il s'éloignait, elle se rappela soudain qu'il n'avait pas sa voiture.

— Attendez ! Vous êtes à pied, n'est-ce pas ?

— Aucune importance, fit-il avec un haussement d'épaules. Je vais prendre un taxi.

Elle eut une seconde d'hésitation, puis fouilla dans son sac et lui donna les clés.

— Non. Je vous prête ma voiture.

Touché par ce geste, il la remercia. Elle ne l'aurait pas eu avec n'importe qui, il le savait.

Elle se sentit rougir et se dépêcha de tourner les talons pour gagner l'ascenseur.

— A ce soir, lui cria-t-elle.

Une fois à l'intérieur de la cabine, elle s'adressa de violents reproches. Rougir pour une chose aussi insignifiante ! Elle se rendait compte tout à coup qu'il la connaissait trop bien. Pourtant, elle ne lui avait pour ainsi dire rien raconté de sa vie. Il ne savait pas, par exemple, quel terrible déchirement ce fut pour elle, lorsqu'elle dut se séparer de sa seconde mère nourricière qu'elle adorait. Il ignorait combien elle avait souffert dans cette autre famille qui n'avait aucun égard pour elle. Elle ne lui avait pas non plus parlé de la trahison de Clark...

Elle soupira. Les souvenirs étaient parfois un lourd fardeau et voilà qu'elle en sentait à nouveau le poids depuis qu'elle avait rencontré Bruce. Paradoxalement, elle se posait une foule de questions jusque-là reléguées dans l'oubli. Elle s'efforça de les refouler. Le passé était le passé. Seul le présent devait compter.

Elle poussa la porte du bureau de Claire et s'immobilisa, stupéfaite : celle-ci dormait à poings fermés dans son fauteuil. Un dossier volumineux était ouvert devant elle. Apparemment, le sommeil l'avait surprise alors qu'elle était en plein travail. Stella resta un moment sans savoir que faire, puis décida de s'asseoir et d'attendre. Elle jeta un coup d'œil distrait autour d'elle. Les murs de la pièce étaient tendus de toile beige et décorés de deux estampes japonaises. L'ensemble était très reposant. Au bout d'un moment, Claire ouvrit les yeux, étouffant un bâillement.

— Tu serais mieux sur le canapé, dit Stella avec un sourire.

— J'avais les yeux fatigués...

— Je vois.

Claire fit mine d'ignorer le ton sarcastique de son amie.

Elle mit un peu d'ordre dans la pile de papiers étalés sur son bureau.

— Je voulais que tu jettes un coup d'œil sur ce script. Il s'agit du prochain spot pour Di Marco.

— D'accord.

Claire lui remit le dossier. Elle réprima un nouveau bâillement.

— Ça ne va pas ? demanda Stella.

— Pourquoi ? Ai-je un visage si défait ?

En réalité, si ce n'étaient ses paupières alourdies par le manque de sommeil, Claire avait une mine resplendissante, rayonnante même.

— Au contraire, je te trouve absolument superbe !

— Eh bien, tant mieux.

— Evidemment, tu n'as sans doute pas assez dormi, insista Stella.

— C'est vrai, je suis rentrée tard. Bon, maintenant, dis-moi ce que tu penses du script.

— Tu étais avec Lee Dutton ?

Claire la dévisagea d'un air amusé.

— On ne peut vraiment rien te cacher.

Un coup frappé à la porte les interrompit. La secrétaire entra, poussant une table roulante.

— Votre déjeuner, madame Thornton.

Une bonne odeur de roast-beef chaud envahit la pièce.

— Merci, Helen. Laissez, on se débrouillera.

Stella souleva le couvercle d'un plat et huma le fumet qui s'en dégageait.

— Hmmm... Et dire que je meurs de faim. Je ne m'en étais même pas aperçue.

Claire s'installa sur le canapé et lui fit signe de s'asseoir à côté d'elle.

— Peux-tu apporter la salade et le thé glacé ?

Stella remplit leurs verres et déposa sur la table les assiettes de crudités.

— Ecoute, commença-t-elle d'un ton hésitant, il y a longtemps qu'on se connaît toutes les deux et...

— Va droit au but, Stella.

— Enfin... je voulais te demander au sujet de Lee Dutton...

— Parle !

— Est-ce que vous flirtez ensemble ?

Claire reposa sa fourchette et plissa le front.

— Tu ne crois pas que le terme est un peu léger pour quelqu'un de mon âge. Je ne suis plus une gamine.

Déconcertée, Stella ne répondit pas tout de suite.

— Je le sais, Claire. Ne le prends pas mal. Ce n'est qu'un mot. Ce que je voulais dire, c'est que je t'imagine mal sortant avec Lee.

— Pourquoi ?

Stella avala un morceau de sandwich. La tournure que prenait leur conversation ne lui plaisait pas. Elle se sentait à présent mal à l'aise et regrettait d'avoir abordé le sujet.

— Il semble gentil, mais... il est loin d'avoir ta classe. Il...

Elle poussa un soupir. Les mots lui manquaient pour exprimer ce qu'elle ressentait.

— Je le vois très bien en train de jouer aux boules le dimanche après-midi avec ses amis, reprit-elle avec plus d'assurance, mais toi... toi...

Claire prit un air songeur.

— On n'a pas encore essayé ce genre de passe-temps.

Stella se dressa brusquement et arpenta le bureau.

— Claire! fit-elle d'une voix qui tremblait légèrement. Je ne veux pas me mêler de ce qui ne me regarde pas, mais...

— Vraiment?

Le sourire ironique de Claire acheva de la dérouter.

— Je t'aime beaucoup, tu sais, continua-t-elle en se rasseyant à côté de son amie.

Claire lui prit la main.

— Alors, ne t'en fais pas pour moi. Je sais où je vais et avec qui.

Rassurée, Stella but une gorgée de thé et termina sa salade.

— Je me doute que ce n'est pas vraiment sérieux avec Lee, mais, tu comprendras que...

Claire l'interrompit.

— Qu'est-ce qui te fait parler ainsi?

La jeune femme écarquilla les yeux.

— Claire, tu ne... enfin, tu n'as pas...

Cette fois, elle éclata de rire.

— Tu veux savoir si nous sommes passés aux actes? Pas encore.

— Pas encore...

— Il ne me l'a pas demandé, poursuivit Claire. Je croyais qu'il le ferait, mais il est assez vieux jeu, tu sais... et très sentimental. Ce sont des choses que j'apprécie, d'ailleurs. Je me sens vraiment moi-même quand je suis avec lui.

— Serais-tu amoureuse, par hasard ? demanda Stella.

— Je pense que oui.

Elle se renversa dans le canapé, les yeux tournés vers la fenêtre, visiblement émue par ce qu'elle venait d'avouer.

— Ça ne m'était pas arrivé depuis longtemps. J'avais à peu près ton âge... un peu plus jeune peut-être. Et depuis, je n'ai plus rencontré quelqu'un avec qui je sois en parfait accord. Le mariage était un mot qui n'avait plus vraiment de sens...

— Et maintenant ?

Elle se tourna vers Stella, l'air radieux.

— Maintenant, j'y songe sérieusement. J'ai presque cinquante ans. J'ai tout ce qu'une femme peut souhaiter dans la vie, sauf...

Elle adressa à son amie un sourire plein de tendresse.

— Sauf un homme à qui je puisse tout raconter et qui me serre dans ses bras quand j'ai besoin d'être rassurée et câlinée. C'est tellement précieux. Je ne te souhaite pas d'avoir à attendre si longtemps pour le trouver. Bruce est très sensible à ton charme. Tu l'as sans doute remarqué...

— On se connaît si peu.

Elle se leva à nouveau pour faire les cent pas dans le bureau.

130

— Tu es une femme consciente de ses désirs, de ses aspirations, Stella.

— Tu crois ? fit-elle d'un ton sarcastique. Je sais peut-être ce que je veux, mais je ne peux pas m'avancer pour lui. Et surtout, je ne veux pas prendre le risque qu'il m'abandonne un jour.

Claire lui jeta un regard perçant.

— Ce n'est pas parce que tu as eu une mauvaise expérience que tu dois généraliser.

— Je sais, mais... J'ai cette peur que je n'arrive pas à chasser...

Elle passa une main à travers ses cheveux et s'adossa à la fenêtre.

— Comme si, reprit-elle, à chaque fois que le bonheur est à portée de ma main, quelqu'un devait brusquement me l'enlever.

Elle secoua la tête et émit un petit rire nerveux.

— Je suppose que tu dois trouver stupide cette recherche du bonheur.

— Pas du tout, protesta Claire. N'est-ce pas le but de chacun, mais toute conquête comporte des risques.

— Je crains d'être moi aussi amoureuse, continua Stella à mi-voix. Et plus ce sentiment prend racine, plus je sens peser cette menace. Si cet amour ne devait pas aboutir, je serais très malheureuse. C'est pour cette raison que j'ai besoin de me préserver. Est-ce insensé ?

— Non, Stella. Tu n'es pas femme à te donner sans rien recevoir en échange. Tu l'as fait une fois et tu en as souffert. Tu trouveras l'homme qui saura apprivoiser ton cœur. Cela arrive souvent sans même qu'on s'en aperçoive.

— Peut-être...
Claire fit un large sourire.
— Regarde, je n'ai attendu que vingt ans !
Toutes deux éclatèrent de rire.

Chapitre 8

Assise en tailleur sur le tapis du salon, Stella ne quittait pas des yeux l'écran de télévision. Claire et Lee étaient installés sur le canapé, leur assiette sur les genoux, picorant distraitement de temps à autre dans le plat de chips posé à côté d'eux. Edna leur avait préparé un délicieux bœuf Wellington, mais ils étaient tous les trois tellement captivés par le match qu'ils y avaient à peine touché. Depuis que Bruce l'avait quittée, le matin même, pour aller prendre son avion, Stella se sentait nerveuse. Les Géants, jusqu'ici invaincus sur leur propre terrain, jouaient leur qualification pour les finales. Ils se battaient comme des diables et, à la fin de la quatrième manche, ils menaient par deux à zéro.

L'arbitre venait de siffler une faute à l'encontre du lanceur des Pirates. L'entraîneur bondit sur le terrain, fulminant, et protesta à grands cris. Les spectateurs se mirent aussitôt à siffler. Stella trépignait de rage.

— C'est injuste ! La balle était bonne, j'en suis sûre !

Claire l'observait en souriant.

— Stella est devenue une véritable fanatique, murmura-t-elle à l'adresse de Lee.

— C'est ce que je remarquais.

Il l'embrassa tendrement sur la joue et lui prit la main. Claire se sentit envahie par un trouble

133

délicieux. Elle avait fréquenté bien des hommes dans sa vie, mais le bien-être qu'elle éprouvait en compagnie de Lee tenait de la joie pure et dépassait tout ce qu'elle avait connu auparavant.

— Sers-toi un verre de vin, dit-elle à Stella, cela te calmera.

— Cet arbitre est de parti pris, protesta la jeune femme. C'est inadmissible.

Dans l'intervalle, le jeu avait repris et cette fois les Pirates, forçant la ligne de défense adverse, s'assuraient trois bases sur une balle frappée par Bruce. Stella battit des mains, le visage éclairé d'un large sourire.

Lee reposa son verre et alluma un cigare. Ses yeux noirs brillaient étrangement. Il hocha la tête d'un air entendu.

— Attendez un peu qu'ils s'y mettent et vous allez voir, dit-il. Avec un type comme Bruce on est sûr de la victoire.

Stella sentit soudain sa gorge se nouer. Bruce, casqué et ganté, venait de plonger pour atteindre une balle. Il retomba lourdement sur le sol. Elle serra les dents et frissonna comme si elle ressentait elle-même la douleur.

— Il l'a eue ! Il l'a eue ! cria Lee.

Il bondit aussitôt sur ses pieds.

— Vous avez vu ! Il est incroyable !

Bruce se relevait maintenant, les traits tendus, tandis que la foule l'acclamait.

— Je veux voir le ralenti, dit Stella.

— On nous le repassera cent fois d'ici ce soir et même aux actualités de onze heures, répondit Lee. Un coup pareil, c'est historique !

Pendant la huitième manche, les Pirates égalisèrent et, quelques minutes avant la fin, sur une action déclenchée par Bruce, ils s'assurèrent la victoire. Lee et Stella, aussi enthousiastes l'un que l'autre, se mirent à danser autour de Claire qui les observait d'un œil amusé.

— Regardez ! s'exclama-t-elle soudain. Quel parfait synchronisme ! On pourrait croire que c'était prévu !

Le spot publicitaire pour Di Marco s'inscrivait sur l'écran. Stella le voyait pour la centième fois mais ne s'en lassait pas. Mieux, elle n'y trouvait aucun défaut.

— C'est une pure merveille, fit-elle avec un sourire ravi.

— Quand commencez-vous à tourner le prochain ? demanda Lee.

— Dès que Bruce sera libre, répondit Claire, la semaine qui vient, j'espère.

Lee se renversa au fond du canapé, tirant sur son cigare d'un air satisfait.

— Et vous le diffuserez pendant les finales ? C'est une excellente idée.

— Les Pirates doivent encore gagner deux matchs pour remporter la coupe, lui rappela Stella.

— Un jeu d'enfant. Bruce est dans une forme éblouissante. Je le connais, maintenant il ne lâchera pour rien au monde.

Décidément, la confiance du petit homme était à toute épreuve. Claire se serra contre lui, les yeux brillants de bonheur. Ils se regardèrent puis éclatèrent de rire en même temps. Ils formaient un couple superbe, Stella fut soudain frappée par cette évidence.

— Vous savez, Lee, je vous aime beaucoup, lui dit-elle.

Surpris, il haussa les sourcils puis sourit.

— Vous me flattez, répondit-il, charmé.

Claire adressa un clin d'œil complice à son amie. Stella venait en quelque sorte de leur accorder sa bénédiction.

Plus tard dans l'après-midi, elle se rendit à l'aéroport. La foule des supporters envahissait déjà le hall pour accueillir les Pirates. Ils brandissaient des bannières ou des fanions, commentant avec passion les exploits de leur équipe. Stella sortit sur la terrasse pour assister à l'atterrissage tandis qu'une indéfinissable émotion lui étreignait le cœur. Elle aperçut bientôt un point minuscule dans le ciel qui allait se rapprochant. Les supporters commencèrent à scander le nom de leur équipe, poussant des cris de joie et sautant sur place. L'appareil s'immobilisa sur la piste ensoleillée. Devançant la cohue des admirateurs, Stella courut vers la porte d'arrivée et guetta l'apparition de Bruce.

Il devait être terriblement fatigué et impatient de rentrer chez lui pour se reposer. Elle rejeta ses cheveux en arrière et s'accouda à la barrière. Les voyageurs sortaient maintenant de la salle de débarquement. L'excitation était à son comble parmi les supporters qui se bousculaient derrière elle. Soudain, ce fut un véritable tonnerre d'acclamations, ponctuées de coups de sifflet et de trompe. Les Pirates franchirent l'un après l'autre le guichet de contrôle devant le sourire engageant des hôtesses. Ils paraissaient épuisés et, sans leurs maillots aux couleurs éclatantes, simplement vêtus d'un jean et d'un blouson, ils n'avaient plus cette allure invincible et farouche. Dès qu'elle aperçut Bruce, une sensation de bien-être l'envahit. Elle le connaissait depuis très peu de temps et pourtant elle avait la certitude qu'il ne revenait que pour elle. Extravagant !

— Il est beau comme un dieu ! s'exclama une jeune fille à son côté.

— Je l'ai vu dans le spot publicitaire, répliqua sa voisine, tu sais, pour les jeans Di Marco... Il a une allure folle.

Stella eut un mouvement de fierté, sans qu'elle puisse en déterminer la cause exacte. Etait-ce l'orgueil du metteur en scène ou la satisfaction de la femme que Bruce avait aimée et caressée ?

Les joueurs répondaient naturellement à l'enthousiasme de leurs supporters. Ils serraient des mains et signaient des autographes. Certains tentèrent, mais en vain, de se frayer un chemin à travers cette véritable marée humaine.

Bruce lui fit un signe. Il avait tout de suite distingué sa chevelure flamboyante parmi la foule et, comme par magie, la fatigue s'était envolée, faisant place à la joie de la revoir. Dès qu'il fut près d'elle, il prit sa main.

— Je ne m'attendais pas à vous trouver ici.

Il se pencha et l'embrassa.

— Je dois récupérer mes bagages. Attendez-moi en bas dans le hall.

Les deux jeunes filles à côté de Stella dévisageaient le héros, muettes d'étonnement.

— Vous étiez fantastique, balbutia l'une d'elles. Quel match !

Son amie, rouge de confusion, sortit de son sac une photo de Bruce et un stylo. Il écrivit une courte dédicace, leur sourit, puis s'éloigna à grandes enjambées. Ripley, autre vedette de l'équipe, le rejoignit devant le tapis roulant.

— Dis-moi, Bruce. Tu ne m'as pas présenté. Elle est charmante.

— Chasse gardée.

Les valises et les sacs de sport débouchèrent d'une trappe pour tomber sur le tapis.

— Et que fais-tu de l'esprit d'équipe ?...

— Sur le terrain, tant que tu veux, Ripley, mais là, pas question.

Ripley secoua la tête et prit à témoin un petit bonhomme souriant, coiffé d'une casquette aux couleurs des Pirates.

— Bruce est un chic type, lui confia-t-il, mais c'est un affreux égoïste. Tenez, rien que cet après-midi, je lui ai fait une passe en or et qu'est-ce que j'ai en retour ? Rien. Pas même un mot gentil. Je te demande de me la présenter, c'est tout.

— Non, mon vieux. Désolé.

Il leur fallut presque une demi-heure pour traverser la foule d'admirateurs qui les harcelaient de questions, chantaient leurs louanges et tenaient absolument à leur serrer la main. Bruce sentait l'impatience croître en lui. L'image de Stella ne le quittait pas. Il se rendait compte qu'il lui devenait de plus en plus pénible de passer quelques jours loin d'elle. Le sentiment de solitude qu'il avait éprouvé pendant ce court déplacement l'avait complètement dérouté. Il n'avait jamais rien ressenti de tel auparavant. Que lui arrivait-il donc ?

138

Elle l'attendait près du stand de journaux. En un éclair, il fut près d'elle, et ses lèvres saisirent avidement les siennes.

— Vous m'avez tellement manqué, murmura-t-il.

Souffles mêlés, ils échangèrent un long regard.

— Hum... Excusez-moi.

Ripley toussota, puis adressa un large sourire à Stella.

— Bruce m'a talonné jusqu'à ce que je vienne, dit-il. Il voulait absolument nous présenter.

Il lui fit un clin d'œil. Bruce poussa un soupir exaspéré.

— Stella, je te présente Jack Ripley, le type le plus collant de l'équipe.

Devant la mine déconfite de son ami, il éclata de rire.

— Et ce n'est pas tout, sa réputation de bourreau des cœurs nous devance partout où l'on va. Impossible de trouver une ville entre New York et Los Angeles où Jack n'ait pas fait une malheureuse.

Stella et Jack se serrèrent la main.

— Ne le croyez surtout pas...

Plusieurs autres joueurs de l'équipe les entouraient à présent. Ripley se tourna vers eux.

— N'est-ce pas, les gars ? Je suis un garçon rangé. La preuve, c'est que je passe tous mes samedis soirs à distraire les jeunes femmes esseulées. Pur bénévolat !

Tous éclatèrent de rire. Bruce prit Stella par le bras.

— Allons-nous-en.

— Eh ! Attends, Bruce, continua Jack. Ta compagne meurt d'envie d'en savoir plus sur ma stratégie.

— Je crois qu'elle en a assez entendu pour aujourd'hui, répondit-il.

Il l'entraîna rapidement vers la sortie.

Stella agita la main tandis que Jack essayait de la retenir. Bruce avait hâte d'en finir. Elle dut accélérer le pas pour rester à sa hauteur.

— Vous auriez pu me présenter vos autres coéquipiers.

— Ces hommes sont dangereux, trop dangereux.

— Vraiment ? fit-elle avec un sourire ironique. Vous aussi alors ?

Il lui enserra la taille et l'attira contre lui.

— Parfaitement.

— Et quelle est votre stratégie à vous ? J'aimerais la connaître. Vous venez chez moi ?

— C'est la meilleure proposition que l'on m'ait faite depuis longtemps.

Il jeta son sac sur la banquette arrière et prit place à côté d'elle. Elle démarra et se faufila prestement vers la bretelle de l'autoroute tandis que Bruce lui racontait certains épisodes du match. Elle l'écoutait, heureuse, détendue. La soirée leur appartenait.

— Le spot pour Di Marco a été diffusé plusieurs fois au cours de l'après-midi.

— Et qu'en pensez-vous ?

— Le résultat dépasse mes espérances.

Elle lui rapporta les propos des deux adolescentes qu'elle avait surpris tout à l'heure.

— Vous voyez, vous faites des ravages dans le cœur des jeunes filles !

— C'est inespéré !

L'intonation ironique de sa voix ne lui échappa nullement.

— Ne sous-estimez pas leur pouvoir d'achat. Les moins de vingt ans forment la plus grosse partie de la clientèle dans le marché du jean.

— Possible, fit-il d'un geste évasif.

— Votre sourire passe très bien à l'écran, ajouta-t-elle.

— Je m'en doutais.

Elle freina devant la maison.

— Déjà ? s'étonna Bruce. Cette fois, je n'ai pas eu peur, mais j'ai l'impression qu'un de ces jours vous allez atteindre la vitesse de la lumière.

Elle sourit et ouvrit la porte.

— J'ai préparé un feu, vous n'avez plus qu'à l'allumer pendant que je sers le café.

Il hocha la tête tout en s'étirant. Ses muscles étaient endoloris par l'effort et la tension auxquels il les avait soumis. Stella avait disposé des fleurs partout dans la grande pièce... des marguerites, des pensées, des iris.

Bruce regarda le papier prendre feu. Le petit bois crépita bientôt et les flammes se mirent à danser dans l'âtre.

Elle revint de la cuisine portant un plateau avec une bouteille et deux verres.

— J'ai pensé que le vin serait plus approprié.

Bruce plissa le front.

— Vous pouvez me dire ce qu'on fête ?

Il lui prit le plateau et versa lui-même à boire.

— Oui, répondit-elle. Nous buvons à votre victoire de demain.

— Bonne idée, fit-il en souriant.

Ils portèrent un toast à son succès. Il reposa son verre et prit une boucle de ses cheveux entre ses doigts.

— Dès que je vous ai vue à l'aéroport, j'ai eu envie de vous caresser. Vous m'avez beaucoup manqué, Stella.

Elle baissa les paupières et l'attira sur le canapé, à côté d'elle.

— Vous êtes tendu, dit-elle à mi-voix.

— Le match de demain me préoccupe... et puis la saison est longue. J'ai hâte de disputer les finales et d'en avoir fini pour cette année.

Elle le regarda d'un air songeur.

— C'est ce que vous dites, mais au fond, vous ne pourriez pas supporter de ne pas jouer.

— Croyez-vous ?

La seule pensée d'être avec elle le rassérénait. Pourquoi songer à l'avenir quand l'instant présent offrait tant de plaisir ? Il but une gorgée de vin et contempla le feu.

— Et vous, beaucoup de travail ?

Elle hocha la tête, puis allongea paresseusement les jambes.

— Comme d'habitude.

Elle non plus n'éprouvait aucune envie de parler de son métier, mais plutôt de l'oublier, au moins pour un soir.

— Stan m'a emmenée au cinéma dans la semaine. Le film était tellement mauvais que c'en est devenu presque amusant. Une histoire de monstre à trois têtes qui sème la terreur dans une ville...

— Je crois bien l'avoir vu à Philadelphie le mois dernier pendant les présélections. Un navet, c'est vrai.

Elle s'appuya sur son épaule en soupirant.

— La médiocrité est un spectacle instructif, continua-t-elle. On a un aperçu de toutes les fautes à ne pas commettre. On apprend beaucoup de cette manière. Quand j'ai commencé à faire de la réalisation, j'allais au cinéma trois fois par semaine et je voyais absolument tout. Du meilleur au pire.

Bruce l'entoura de son bras et la serra contre lui. Stella se rendit brusquement compte à quel point sa maison lui avait semblé vide ces derniers jours. Ce soir, elle reprenait vie et redevenait pleine de chaleur. La présence de Bruce changeait tout. Elle l'avait laissé pénétrer son intimité, accéder au domaine secret de son cœur et s'en étonnait encore. Elle qui avait su si bien se protéger jusque-là...

Elle contempla longuement son profil.

— Vous aussi, vous m'avez manqué, dit-elle.

Il tourna la tête. Leurs lèvres étaient toutes proches.

— J'espérais que vous me le diriez.

Il l'embrassa sur la joue, puis effleura sa gorge. Elle frissonna.

— J'ai un cadeau pour vous, dit-il, s'efforçant de maîtriser son émotion.

— C'est vrai ?

Il se leva, ouvrit son sac et en tira une boîte blanche qu'il lui tendit. Stella écarquilla les yeux de surprise. Ils brillaient comme ceux d'un enfant.

— Qu'est-ce que c'est ?

— Vous verrez bien.

Elle tourna et retourna la boîte entre ses mains.

— Il ne fallait pas...

Il sourit.

— Je sais, mais je n'ai pas pu résister.

Elle dénoua le ruban et souleva le couvercle, puis éclata de rire. A l'intérieur se trouvait un petit hippopotame de céramique rose avec de longs cils et une bouche en cœur.

— C'est adorable, Bruce. Merci.

— J'ai tout de suite pensé à vous en le voyant.

Stella prit un air indigné puis s'esclaffa.

— Au moins, ceci me prouve que vous ne m'oubliez pas tout à fait.

Il pointa le doigt vers l'étagère où trônaient le chimpanzé et le koala.

— Votre ménagerie s'agrandit.

Touchée par son attention, elle sentit les larmes lui monter aux yeux. Elle détourna le visage, incapable de refouler l'émotion qui l'envahissait à son tour. Doucement, il lui prit le menton et la força à le regarder.

— Je suis stupide, dit-elle.

Elle voulut essuyer les larmes qui coulaient le long de ses joues, mais il la retint et embrassa tendrement ses paupières, suivant de ses lèvres brûlantes le sillon humide.

144

— Non, vous n'êtes pas stupide, Stella, chuchota-t-il à son oreille. Vous êtes merveilleuse.

Leurs bouches se trouvèrent et, lentement, sans qu'ils y prennent garde, la passion se saisit d'eux. Bruce plongea ses doigts dans ses cheveux, respira le parfum de sa peau, s'enivrant de sa beauté. Elle frémit tandis que ses sanglots se muaient en une longue plainte. Déjà elle succombait à ses caresses, s'offrant sans plus chercher à résister à la sensation délicieuse qui s'emparait d'elle. Elle se sentait faible, vulnérable, mais y trouvait un certain plaisir.

Bruce l'allongea alors doucement sur l'épais tapis de laine. Stella voyait les ombres des flammes danser sur les murs, elle entendait le bois craquer dans l'âtre. Son esprit vagabondait entre le rêve et la réalité, tandis que Bruce la dévêtait.

Le temps n'existait plus. Étourdie, Stella se tendit vers lui, chercha fébrilement la bouche de son compagnon tout en déboutonnant sa chemise. Lorsqu'ils furent nus, en proie à la même impatience, Bruce la dévora de baisers, goûtant chaque parcelle de sa peau, lui arrachant des gémissements... autant d'appels à la volupté, à l'abandon.

L'instant d'après, il s'écartait d'elle et scrutait son regard. Stella sentit une force irrésistible la soulever et la porter vers l'homme qu'elle aimait. Elle avait besoin d'être tout près, de se fondre en lui. Tandis qu'il continuait de l'observer, elle le supplia.

Ses lèvres glissèrent alors autour de ses seins, puis jusqu'à son ventre. Stella se cambra, s'accrocha à lui, soulevée par une vague de plaisir. Elle poussa un bref cri mais il continua de l'embrasser inexorablement.

Quand il la prit enfin, elle eut l'impression qu'un torrent l'entraînait au gré d'un courant sauvage jusqu'au plaisir ultime.

Chapitre 9

Claire ne laissait rien au hasard. Aussi, avant le tournage du deuxième spot, elle descendit au studio afin de s'assurer que tout était en place. Elle jeta un coup d'œil satisfait sur le décor. Il représentait un intérieur confortable : canapé de cuir brun, table basse et lampe élégante dont l'abat-jour en peau diffusait un éclairage intime et chaleureux. Les techniciens s'affairaient autour de la scène, dissimulant les câbles électriques, orientant les réflecteurs. Tout était parfait. Claire traversa le plateau.

Di Marco avait été enchanté des résultats obtenus précédemment. Mais cette fois, il lui avait un peu forcé la main pour qu'elle engage sa protégée. Claire n'aimait guère ce genre de situation, toutefois il fallait savoir accepter certaines contraintes. Les affaires sont les affaires ! Evidemment, Stella avait protesté, s'insurgeant contre le fait qu'on lui impose une actrice sans audition préalable. Pour finir, elle avait cédé. Di Marco était le patron.

La séquence en studio serait filmée en premier. C'est ce qu'elle avait décidé, connaissant Bruce et sa faculté de concentration. Mieux valait en effet commencer par la partie la plus difficile qui exigeait le plus de mise en scène et donc le plus d'efforts de sa part.

Stella héla l'éclairagiste.

— Sur la rampe, là-bas, il y a une ampoule grillée. Montre-moi ce nouveau filtre.

Il actionna une série de boutons sur le panneau de contrôle et une lumière tamisée inonda le décor.

— Très bien, fit-elle en notant quelque chose sur son script. Roy !

Son assistant arriva au pas de course.

— Tu as vérifié le son ?

Il acquiesça.

— Je crois que tout est prêt, mademoiselle Gordon. Les micros sont installés et des essais ont déjà été faits.

Elle hocha la tête et sourit en apercevant Claire.

— Des problèmes ? demanda celle-ci.

— Rien d'insurmontable.

— J'ai entrevu l'amie de Di Marco. Elle est splendide !

Stella poussa un soupir.

— Dieu merci. Cela facilitera la tâche. Et lui, doit-il venir ?

— Non.

Claire sourit devant l'air résigné qu'affectait Stella. Elle redoutait la présence d'amis, de parents ou de commanditaires sur les lieux du tournage.

— Elle s'appelle Gina. Inutile de te dire qu'elle a droit à tous les égards...

— Je ne vais pas la mordre, répliqua-t-elle. J'ai fait répéter Bruce. Il a trouvé le ton juste. J'espère seulement que ce sera aussi bien devant la caméra.

— J'ai entière confiance en lui, dit Claire.

— Moi aussi, reconnut Stella. De plus, il semble maintenant prendre un réel plaisir à tourner.

— Très bien. J'ai un scénario que j'aimerais qu'il lise, continua-t-elle. Il y a un rôle qui paraît écrit pour lui.

Stella haussa les sourcils.

— C'est un long métrage ?

Elle hocha la tête.

— Pour la télévision. La distribution ne se fera pas avant un mois ou deux. Cela lui laisse le temps de réfléchir. Je voudrais que tu y jettes un coup d'œil également.

Bruce acteur ? Pourquoi pas ? pensa-t-elle. Elle adressait un ordre à un machiniste qui passait lorsque Claire reprit :

— Je pensais que tu pourrais peut-être diriger ce film.

Stella se figea.

— Que veux-tu dire ?

— Je sais que tu aimes ce que tu fais actuellement. La publicité est un merveilleux moyen d'expression, rapide et intense. Mais ce scénario t'intéressera sans doute.

— Claire, je...

Stella était tellement déconcertée par cette proposition qu'elle ne trouvait plus ses mots.

— Mon expérience de metteur en scène se limite à des spots de moins d'une minute, Claire !

— Justement. Tu ne crois pas qu'il serait temps de te lancer dans un travail plus conséquent ?

— Euh... je...

— Lis simplement ce scénario et on en reparlera.

Claire regarda au loin.

— Tiens ! Voilà Bruce.

Elle poussa une exclamation admirative.

— Quelle élégance !

Il portait un pull-over en cachemire bleu pâle et un jean délavé, mais c'était son allure naturelle, décontractée, qui le rendait si séduisant et faisait sa véritable classe. Une force quasi magique irradiait de lui, un magnétisme tel que Stella en fut subjuguée.

Il promena son regard sur le studio et fronça les sourcils devant l'apparent désordre des projecteurs, câbles et autres appareils. Il se demandait comment les opérateurs se retrouvaient dans un pareil chaos. Il aperçut Stella et lui sourit. Il admirait sa précision, son savoir-faire, sa dextérité.

Elle s'approcha de lui, le dévisageant d'un regard perçant. Bruce hocha la tête, mal à l'aise. Quand elle le regardait de cette façon, il perdait tous ses moyens. Elle l'évaluait, le jaugeait, sans le dissimuler du tout. Ce n'était plus la femme sensible et vulnérable qu'il avait en face de lui, mais le metteur en scène intransigeant, amoureux de la perfection.

— Alors ? demanda-t-il d'un ton légèrement irrité.

— Tout va très bien.

Elle lui ébouriffa les cheveux d'un geste rapide de la main, puis se recula.

— Là, c'est parfait. Vous êtes nerveux ?

— Non.

Elle sourit.

— Ne vous renfrognez pas, Bruce. Laissez-vous aller et faites-moi confiance.

Elle lui prit le bras et le mena vers le décor.

— Vous savez votre texte, alors n'ayez aucune crainte. Prenez l'air détendu, sûr de vous, un rien supérieur, mais sans arrogance. N'oubliez pas que cette scène sera placée à la fin du spot, après la séquence sur le terrain et celle du vestiaire.

Il acquiesça, l'écoutant avec attention.

— Ambiance feutrée. Lumière tamisée. Vous dégustez un verre de brandy en compagnie d'une délicieuse créature...

— Avec les compliments de Di Marco ! fit-il avec ironie.

Elle ne tint pas compte de sa remarque et lui montra sa place.

— Vous vous asseyez ici dans une pose décontractée. Le match est terminé, vous soupirez, un sourire bienheureux aux lèvres... Allez !

— Maintenant ?

— Oui. Il vaut mieux répéter.

Stella se campa devant lui et l'observa.

— Voilà, vous êtes dans la note. Vous devenez un véritable professionnel, Bruce.

— Merci.

— Je vous rappelle que vous ne devez pas quitter la caméra des yeux.

Elle fit un geste et Stan régla l'objectif tandis qu'une lumière rouge s'allumait sur l'appareil.

— La jeune femme arrive par-derrière et vous tend un verre. Vous ne la regardez pas. Vous lui prenez simplement la main et vous continuez de parler... avec le sourire, il va sans dire. N'oubliez pas le sourire !

Gina venait de faire son entrée dans le studio, suivie d'une femme blonde à l'air sévère et de deux hommes en costume noir. Sa beauté était encore plus impressionnante que sur la photo envoyée par Di Marco. Elle avait à peu près vingt-cinq ans, était dotée de grands yeux noisette et d'une longue chevelure d'un noir de jais. Son corps élancé, aux formes généreuses, était moulé dans une robe de satin rouge fendue sur le côté. Stella la regarda traverser le plateau. Il émanait d'elle une sensualité, une grâce animale, qui ne pouvait laisser personne indifférent. Le souffle coupé, les techniciens la déshabillaient des yeux. Stella sourit intérieurement. Gina allait faire sensation pour son premier passage à l'écran...

Elle marcha à sa rencontre et lui serra la main.

— Stella Gordon. Je suis le metteur en scène.

— Gina Minniani, répondit-elle avec un fort accent italien.

— Nous sommes ravis de vous avoir avec nous. Des questions avant que nous commencions ?

— *Come ?*

— S'il y a quelque chose que vous désirez savoir...

La jeune femme blonde l'interrompit.

— La *signorina* Minniani ne parle pas notre langue, mademoiselle Gordon, dit-elle sèchement. Vous n'avez pas été informée ?

Stella s'étrangla presque.

— Pardon ?

Elle poussa un soupir de découragement.

— Eh bien ! La journée va être longue !

— Je suis la secrétaire personnelle de M. Di

152

Marco, renchérit la jeune femme. Je me ferai un plaisir de traduire.

— Des ennuis ? fit Bruce en se levant.

— Non, non, ne vous inquiétez pas.

Il alla néanmoins au-devant de Gina et lui tendit la main.

— *Signorina...*

Il réprima un sourire, notant que Stella le couvait du regard, puis il s'adressa à la jeune femme dans un italien courant. Gina eut un sourire radieux et répondit, ponctuant son discours de gestes de la main et de petits roucoulements.

— Elle dit qu'elle est très excitée. Elle a toujours souhaité jouer dans un film américain, dit-il.

— Eh bien, c'est parfait, répliqua Stella.

Bruce fit une remarque qui apparemment l'amusa beaucoup, puis elle congédia la secrétaire de Di Marco d'un simple mouvement de tête. Elle prit alors le bras de son partenaire et continua de lui parler d'un ton animé. Stella était frappée du contraste entre eux deux. La brune incendiaire et le pur Californien aux yeux bleus. Un couple explosif... qui allait sûrement faire vendre une multitude de jeans et de chemises Di Marco. Nul doute que tous les adolescents s'identifieraient à eux immédiatement...

— Vous maîtrisez très bien l'italien, lui dit-elle. Cela semble l'enchanter.

Un large sourire se dessina sur ses lèvres.

— C'est vrai. Gina aimerait que je sois son interprète.

— Très bien. Dites-lui qu'on va procéder à une

153

dernière répétition pour régler l'éclairage. Qu'elle ne s'inquiète pas. Son rôle est simple. Elle n'aura aucune difficulté.

Bruce hocha la tête. Stella ne montrait pas la moindre jalousie, mais paraissait apprécier la situation à sa juste valeur, d'un œil objectif. Elle se plaça au centre du décor et attendit qu'il eût traduit. La lumière jaillit des projecteurs, concentrée sur le canapé où devait se tenir Bruce.

— Bon, reprit Stella, asseyez-vous, Bruce. Dites-lui de bien nous observer, nous allons répéter la scène tous les deux.

Stan croisa les bras, un sourire amusé sur les lèvres. Derrière lui, Roy consultait le script, indiquant le minutage à la jeune femme chargée de chronométrer chaque prise.

Bruce prit l'attitude de quelqu'un qui conversait avec des amis, puis Stella entra dans le champ, se pencha par-dessus son épaule et lui tendit un verre de brandy. Leurs joues se frôlèrent. Il ne quitta pas l'objectif des yeux, mais trouva le moyen de lui caresser le cou tandis qu'il buvait une gorgée d'alcool. Il énonça ensuite son texte publicitaire au moment où elle-même disparaissait.

— Demandez-lui si elle a bien compris son rôle, dit-elle.

Gina fit un geste de la main pour signifier qu'elle avait parfaitement saisi.

— Alors, faisons un essai, conclut Stella.

Elle se plaça à côté de Stan.

— Silence sur le plateau! Moteur... Action!

Cette première prise se révéla bonne dans l'ensemble bien que l'expression de Gina manquât un peu de conviction. Elle se comportait bien pendant le début de la scène, puis d'un seul coup se mettait à fixer la caméra d'un air égaré.

Après la cinquième prise, Stella soupira, exaspérée. Au lieu de s'habituer à l'ambiance du studio et de se détendre, Gina était de plus en plus crispée et mal à l'aise.

— Cinq minutes de pause ! annonça Stella.

Les projecteurs s'éteignirent et l'équipe se dispersa. S'efforçant de sourire, elle fit signe à Bruce et Gina de s'asseoir à côté d'elle.

— Bruce, commença-t-elle, dites-lui d'être naturelle. C'est le plus important. Elle est ravissante et elle va avoir un impact formidable sur le public, c'est certain.

Gina écouta attentivement, les sourcils froncés, puis adressa à Stella un regard ému.

— *Grazie.*

Serrant la main de Bruce dans la sienne, elle se lança dans une longue tirade passionnée, s'excusant de sa maladresse et de son manque de nuances. Pour finir, elle réclama une boisson fraîche.

— C'est pour calmer ses nerfs, expliqua Bruce, perplexe.

Stella demanda qu'on lui apporte un jus d'orange puis reprit avec toute la diplomatie dont elle était capable :

— Expliquez-lui qu'elle n'est pas maladroite du tout. Il faut simplement qu'elle sente le rôle. Qu'elle essaye d'imaginer que vous êtes amants tous les deux... pendant le temps de cette séquence.

— J'avais compris, fit Bruce, non sans ironie.

155

Il traduisit à Gina qui éclata alors de rire et lui répondit par un torrent de paroles.

— Elle dit qu'elle essaiera... d'imaginer, mais que si elle se met totalement dans la peau du personnage, Carlo Di Marco va lui faire une scène de jalousie.

— J'en prends la responsabilité, répliqua Stella. Et vous, Bruce, essayez d'être un peu plus chaleureux.

— C'est-à-dire ?

— Si cette femme ne vous émeut pas, je me demande qui...

Elle laissa sa phrase en suspens tandis qu'il la regardait d'un œil inquisiteur.

— Que ne faut-il pas faire pour l'amour de l'art ! répliqua-t-il avec un dangereux sourire.

Elle rassembla à nouveau tout le monde en frappant dans ses mains. Stan était déjà là et faisait le point.

— J'espère que cette fois sera la bonne, lui dit-elle à mi-voix.

Il leva les yeux au ciel en guise de réponse.

Dès que chacun fut à son poste, Stella leva le bras.

— Silence ! Moteur... Action !

La prise fut meilleure que les précédentes, mais loin d'être parfaite. Elle demanda à Gina, par l'intermédiaire de Bruce, de regarder l'objectif d'un air langoureux juste avant de se pencher vers lui. Celle-ci n'y mit toutefois pas assez de sentiment et le résultat s'avéra nul.

— Coupez ! s'exclama Stella.

Elle marcha vers eux d'un pas décidé, prit la place de Gina et lui recommanda de bien l'observer. Bruce sourit intérieurement. Puisqu'elle lui avait suggéré d'être plus chaleureux...

Lorsqu'elle s'inclina pour lui tendre le verre de brandy, il emprisonna sa main, déposant dans sa paume un rapide baiser. Stella sursauta, partagée entre le plaisir et la confusion, consciente du fait que toute l'équipe les regardait avec curiosité.

Bruce n'avait toujours pas lâché sa main.

— Soyez naturelle, lui dit-il ironiquement.

Stella s'éclaircit la gorge.

— Bon, essayons à nouveau.

Elle retourna se placer près de la caméra comme si de rien n'était. Bruce l'observait toujours d'un regard insistant, lourd de signification.

— Tout le monde en position! Silence... Moteur... fit-elle en détournant les yeux.

Il fallut trois autres prises avant que la scène lui parût valable. Au comble de la joie, Gina embrassa Bruce sur les deux joues, puis elle vint trouver Stella pour l'entretenir de Dieu sait quoi. Quand elle l'appela à l'aide, il lui dit à son tour, d'un air amusé :

— Ne vous inquiétez pas...

Lorsque Gina fut partie, elle voulut savoir ce qu'elle avait tenté de lui dire.

— Elle vous faisait des compliments sur votre bon goût.

— Ah ?

— Oui, elle trouve que votre amant est magnifique, déclara-t-il avec un sourire triomphant.

Stella le dévisagea fixement.

— Vraiment ?

— Vous devriez être contente, non ?

Comme elle ne répondait pas, il eut un haussement d'épaules évasif et s'éloigna en direction des coulisses. Elle le suivit des yeux, mains sur les hanches. Non, elle ne lui donnerait pas la satisfaction de perdre le contrôle d'elle-même !

— Extérieurs dans une heure ! annonça-t-elle à la ronde.

Tout le matériel fut installé dans le vestiaire des Pirates. Pour l'occasion, Claire avait obtenu le concours de certains coéquipiers de Bruce. Stella eut le plus grand mal à obtenir d'eux qu'ils cessent de plaisanter et de s'amuser mais, pour finir, ils se calmèrent et l'écoutèrent avec le plus grand sérieux.

Le tournage avançait vite et bien, aussi fut-elle surprise de sentir une subite migraine lui marteler le crâne avec insistance. Une inexplicable tension l'avait envahie et elle se connaissait suffisamment pour savoir que son travail n'était pas en cause.

Elle essaya tout d'abord de l'ignorer, mais la douleur la tenaillait et un sentiment d'exaspération contre elle-même s'y ajouta bientôt. Elle n'avait pourtant aucun souci à se faire. Bruce jouait son rôle à la perfection. On le voyait au premier plan retirer son pull en cachemire et découvrir sa poitrine bronzée. Il se montrait parfaitement coopératif mais, dès qu'il la regardait et souriait, Stella sentait sa migraine la relancer.

Un peu plus tard, toute l'équipe se transporta sur le terrain pour tourner la scène finale. Bien que son mal de tête eût presque disparu, Stella avait hâte d'en finir. Elle était en train de surveiller l'installation du matériel lorsqu'un bras musclé lui encercla les épaules. C'était Jack Ripley.

— Salut ! fit-il avec un large sourire.

— Prêt pour la séquence suivante, Jack ? Vous avez été très bien tout à l'heure.

— Justement, je voulais vous dire...

Il gonfla son biceps, sans doute pour l'impressionner.

— C'est une erreur de donner la vedette à Bruce, reprit-il, il n'a pas la carrure suffisante.

Stella hocha la tête, faussement songeuse.

— Malheureusement, ce n'est pas moi qui décide.

Jack poussa un long soupir.

— Bah ! tant pis. Au fait, maintenant que je suis une vedette de cinéma, vous viendrez me chercher à l'aéroport ?

Avant qu'elle n'ait eu le temps de répondre, quelqu'un intervint.

— Tu rêves, Ripley !

L'un des joueurs qu'elle avait vus plaisanter avec Bruce pendant le tournage s'approchait d'eux.

— Tu n'as pas la classe qu'il faut. N'insiste pas.

Il adressa un clin d'œil à Stella.

— Sa préférence va aux danseuses orientales. Vous voyez ce que je veux dire ?

Ripley écarquilla les yeux.

— Quel menteur ! Ne l'écoutez pas, mademoiselle. Il ment comme il respire.

— C'est le genre de type dont toutes les femmes devraient se méfier, continua l'autre.

— Tu ferais mieux d'aller t'entraîner, bougonna Jack. Par moments je me demande si ta batte n'est pas en caoutchouc tant tes coups manquent de précision.

— Et toi, c'est à croire que tu as des chaussures à semelle de plomb. Tu devrais laisser tomber le base-ball et essayer le ski de fond !

— Eh ! Vous deux. Encore en train de vous chamailler !

Stella se retourna. Bruce l'observait, l'air amusé. Sa migraine la reprit à ce moment précis, plus aiguë que jamais. Il portait le maillot chatoyant des Pirates ; la visière de la casquette rabattue sur les yeux lui donnait cette allure farouche et invincible qu'elle lui connaissait bien. Il la fixa un instant de son regard possessif. Elle sentit son pouls s'accélérer et battit des paupières.

— Rien de sérieux, répondit Jack. On voulait juste distraire ton amie.

Il sourit.

— Stella n'est pas seulement mon amie, c'est une femme qui sait ce qu'elle veut et je ne suis pas sûr qu'elle ait envie de perdre son temps avec des farceurs dans votre genre !

A la manière dont il parla, Ripley comprit tout de suite que les sentiments de Bruce pour Stella étaient beaucoup plus sérieux qu'il ne le supposait. Voilà que le célibataire endurci courbe l'échine, songea-t-il, mais prenant un malin plaisir à le provoquer, il enchaîna :

— Quand elle va se rendre compte que je crève

littéralement l'écran, tu vas te retrouver sans emploi, mon vieux !

Stella les interrompit.

— J'ai l'impression que tout le monde nous attend, messieurs. En position !

Elle alla se placer parmi les techniciens pendant que Bruce et ses deux coéquipiers investissaient le terrain.

La première prise fut une réussite presque parfaite et à la troisième elle sut qu'elle avait fixé sur pellicule un morceau d'anthologie. Ripley lança la balle avec une précision et une force extraordinaires, obligeant Bruce à bondir sur le côté avec la rapidité et la souplesse d'un fauve.

Toute l'équipe applaudit spontanément.

— Je ne pensais pas qu'il l'attraperait, celle-là, commenta Stan.

— On dirait qu'il excelle à réussir l'impossible, répliqua Stella.

Elle fronça les sourcils et se frotta les tempes.

— Une migraine ? demanda Stan.

Il la regardait attentivement, l'air intrigué.

— Ce n'est rien, fit-elle, mais je boirais volontiers quelque chose de frais.

Bruce était en conversation avec Ripley sur le bord du terrain. De temps à autre, ils éclataient de rire et leurs visages s'éclairaient de joie.

— Ce n'est rien... répéta-t-elle entre ses dents.

La fatigue, sûrement. Rien d'autre. Une aspirine, un bon repas et une nuit de sommeil la remettraient sur pied. En outre, elle avait besoin de prendre un peu de distance par rapport à Bruce. Rien à voir avec lui, bien sûr, mais...

Stella se perdait dans ses propres pensées, l'esprit en proie à la confusion la plus complète. Oui, c'était la fatigue. Elle travaillait trop ces temps-ci.

Elle surprit alors Stan qui la scrutait de ses yeux ronds.

— Qu'est-ce que tu fais encore ici ?

Il lui tendit une bouteille décapsulée.

— Votre soda...

Elle esquissa un mince sourire.

— Merci, Stan.

— Je vais porter la pellicule au studio. Rien de spécial à dire à Mme Thornton ?

— Non.

Elle se dirigea ensuite vers les joueurs pour les féliciter et les remercier d'avoir participé au tournage.

— C'était bon ? demanda Bruce. Trois prises seulement, c'est un record !

— Un chef-d'œuvre, répondit-elle. Grand merci à vous deux également.

Les deux coéquipiers de Bruce eurent un large sourire de satisfaction.

— Et n'oubliez pas, ajouta Jack, si un jour vous avez besoin d'un homme, un vrai, pour un de vos films, n'hésitez pas à m'appeler.

— Entendu, j'y songerai.

Lorsque ses compagnons les eurent laissés seuls, Bruce prit le menton de Stella, la forçant à le regarder dans les yeux.

— Qu'est-ce qui ne va pas ?

Elle s'écarta de lui, haussant légèrement les épaules.

— Tout va très bien, répliqua-t-elle.

162

Elle frissonna. Que se passait-il en elle ? Dès qu'il l'effleurait, tout son corps se mettait à trembler.

— Je crois que vous serez content du résultat. Les deux spots seront diffusés jusqu'à la fin de la saison. Nous tournerons le prochain en novembre.

Il l'écoutait tout en la fixant intensément.

Une bouffée de chaleur envahit Stella. Elle avala sa salive et continua :

— Il faut que je passe au bureau, alors...

Il la coupa net.

— Stella, seriez-vous fâchée ?

— Je ne le suis pas, répondit-elle brusquement. Je suis épuisée, c'est tout.

Il secoua la tête, souriant à demi.

— Il y a autre chose, je le sais.

— Laissez-moi tranquille.

Sa voix tremblait d'émotion.

— C'est tout ce que je vous demande. Laissez-moi en paix.

Avant qu'elle n'ait eu le temps de comprendre ce qui lui arrivait, Bruce l'avait prise dans ses bras et la serrait contre lui.

— Pas question. Je vous donne le choix. Ou bien nous nous expliquons ici ou bien nous allons chez vous pour tirer cette affaire au clair...

Elle le repoussa et se dégagea de son étreinte.

— Il n'y a rien à tirer au clair.

Nullement découragé, il répliqua :

— Très bien, alors je vous emmène dîner et puis nous irons au cinéma. D'accord ?

— J'ai du travail et je...

— Je ne vous crois pas.

163

— Tant pis pour vous, lui lança-t-elle, la rage au cœur. En tout cas, il faudra bien que vous l'acceptiez. Je ne sortirai pas avec vous ce soir !

Les yeux de Bruce étincelaient de colère. Il s'efforça néanmoins de conserver son calme.

— Bon, mais dites-moi pourquoi vous m'en voulez tant...

— Laissez-moi ! s'écria-t-elle. Je vous ai déjà dit que je n'avais rien contre vous !

— Etrange, vous criez comme quelqu'un qui est furieux.

— Je ne crie pas du tout ! répliqua-t-elle en haussant encore le ton.

— J'aurais pourtant juré que...

Stella l'interrompit. Les mots jaillirent de sa bouche malgré elle. Il était trop tard pour les retenir.

— Je crains seulement d'être amoureuse de vous.

Elle le regarda, étonnée de ce qu'elle venait de dire. Aucun doute, c'était bien elle qui venait de prononcer ces paroles.

— Ah oui ?

— Non, je...

Il fit un pas vers elle. Elle recula, jeta un coup d'œil affolé sur le terrain maintenant complètement désert. Elle était seule, seule avec lui.

— Je ne veux pas rester ici, fit-elle.

Il marcha vers elle.

— De quoi avez-vous peur, Stella ?

Il lui caressa la joue.

— Peur de l'amour, n'est-ce pas ? Pourquoi ?

Il l'entoura de ses bras.

Le regard de Stella s'assombrit brusquement.

164

— Parce que je redoute la suite.

— Eh bien, dites-moi...

— On ne réfléchit plus à ce qu'on fait, on perd la tête et...

Elle passa une main tremblante à travers ses cheveux.

— Et après ? insista-t-il.

— On se retrouve ensuite complètement seul et démuni.

Elle poussa un long soupir. Tout lui revenait soudain. Clark, sa fuite pour rejoindre sa famille, l'insoutenable solitude à laquelle elle avait dû faire face.

— J'ai déjà trop souffert, Bruce. Et je ne veux pas vivre une relation qui serait sans suite.

— Le destin nous a poussés l'un vers l'autre, Stella. Croyez-vous que ce soit simplement par jeu ?

Elle lui décocha un regard foudroyant, mais Bruce avait une expression farouche et déterminée. Il était prêt au combat.

— Je ne crois pas à la fatalité. Nous sommes responsables de notre vie.

— Vraiment ?

Il l'attira tout contre lui. Partagée entre la colère et la peur, Stella sentait son cœur se déchirer.

— Il faut que nous cessions de nous voir. S'il vous est impossible de travailler avec moi, expliquez-vous avec Claire.

— Qu'est-ce qui vous fait penser cela ? demanda-t-il. J'accepte de recevoir des ordres de vous parce que je sais que vous connaissez votre métier comme personne. Quand la caméra tourne, Stella, c'est vous qui commandez. Ne vous l'ai-je pas déjà dit ?

Il promena son regard autour de lui.

— Mais ici, vous êtes sur mon terrain et je n'y ai pas encore perdu un seul match !

— Il ne s'agit pas de base-ball, répondit-elle.

— Non. C'est nous qui sommes en cause.

Il suivit du doigt le tracé de ses lèvres, puis sourit.

— Je vous aime, Stella.

Il avait affirmé son amour, comme si c'était la chose la plus naturelle du monde. Elle mit un moment à en prendre conscience. Soudain, elle se figea.

— Non...

— Non ? Et pourquoi donc, Stella ?

— Arrêtez, fit-elle bouleversée. Ce sont des choses avec lesquelles on ne plaisante pas.

Il plissa les yeux.

— Mais je ne plaisante pas. Que redoutez-vous à ce point ? Serait-ce d'aimer ? A moins que ce ne soit d'être aimée ?

Elle secoua la tête. Elle avait pourtant fait tout ce qui était en son pouvoir pour ne pas franchir ce point de non-retour au-delà duquel le cœur ignorait la raison. Confrontée à l'amour, il lui était maintenant impossible de le nier.

— Il en est de même pour moi et je ne sais pas quand ni comment c'est arrivé, reprit-il, mais un beau jour je me suis réveillé avec cette certitude : j'étais amoureux de vous. On ne refuse pas l'amour, Stella. On ne l'écarte pas de son chemin. C'est bien trop précieux.

166

Il abaissa son visage jusqu'à effleurer ses lèvres.

— N'essayez pas de vous dérober, ajouta-t-il encore.

Il l'embrassa. Un long baiser, tendre et passionné qui la laissa sans force, toute tremblante, le cœur en émoi. Une impression de liberté, de légèreté s'empara d'elle, irradiant tout son être. Elle était aimée, vraiment aimée !

Bruce s'écarta un instant, plongea ses yeux dans les siens, un tendre sourire aux lèvres, tandis qu'elle posait ses mains sur sa nuque et se serrait contre lui. Elle abordait le monde merveilleux de l'amour le plus dur, le plus vrai.

— Redites-moi... murmura-t-elle. Encore une fois...

— Je vous aime, Stella.

Elle poussa un soupir et ferma les yeux.

— Je vous aime aussi, Bruce.

Chapitre 10

L'équipe des Condors avait réussi l'exploit de remonter en première division, se plaçant juste derrière les Pirates. Bruce repensait au match disputé en Floride, en entrant dans le vestiaire. Il jeta son sac sur le banc et soupira. Les Condors avaient fait preuve d'une combativité, d'une rage de gagner, qui avaient stupéfié même leurs supporters les plus acharnés, et les journalistes sportifs avaient émis l'hypothèse qu'ils pourraient arracher le titre aux Pirates. Rien n'était donc acquis.

Ripley lançait ses habituelles plaisanteries, mais l'atmosphère était trop tendue entre les joueurs pour qu'ils en rient franchement. Ces hommes avaient lutté ensemble pendant des mois, ils avaient peiné, pleuré de dépit, parfois, n'ayant qu'une seule idée en tête : remporter la coupe de championnat. Et voilà qu'aujourd'hui ils s'apprêtaient à disputer la finale. Tous leurs espoirs, tous leurs efforts, allaient se jouer dans les deux heures qui suivaient, sous les yeux de dizaines de milliers de spectateurs.

Bruce enfila son maillot. Il connaissait bien cette sensation de vide qui précédait chaque match, cette boule au creux de l'estomac. Rien à faire, il fallait attendre le moment de s'élancer sur le terrain pour que le trac disparût, faisant place à la seule rage de vaincre.

Il promena son regard sur les joueurs qui se mettaient en tenue. Tout à l'heure, ils allaient se quitter jusqu'à la saison prochaine et, avec ou sans la coupe d'Amérique, l'équipe prendrait un repos bien mérité. Bruce sourit intérieurement. Ses vacances, lui, il les passerait dans les studios Thornton. Toutefois, ce travail ne lui paraissait plus aussi absurde qu'il y a quelques mois. Il avait appris à aimer le métier d'acteur.

Il songea à Stella. Jamais il ne s'habituerait tout à fait à cette façon qu'elle avait de l'observer de son œil professionnel, le considérant comme une marchandise. Elle interprétait la moindre expression de son visage, le moindre geste. Pas une parole en l'air qui ne lui échappât. Elle le décortiquait, l'étudiait, le remettait sans cesse en question. Bruce se demandait quelquefois si beaucoup d'hommes résisteraient à pareil traitement. Aimer Stella n'était pas chose facile, mais c'était elle qu'il voulait, pas une autre.

Elle l'aimait, certes, mais il était conscient de sa fragilité, de sa vulnérabilité. Elle avait souffert par le passé et elle avait du mal à accorder sa confiance à un homme. C'était une lutte de chaque instant pour la préserver, mais devait-il y avoir un vainqueur ? Il sortit la batte de son étui en cuir, sourcils froncés. Un vainqueur ? En tout cas, Stella n'avait pas fini de le tester, le provoquant, le défiant dès qu'elle en avait l'occasion.

Il s'était mis en colère quand elle avait refusé de l'accompagner en Floride pour le match contre les Condors. Il aurait suffi qu'elle modifie son emploi du temps, mais elle lui avait froidement répondu que son travail passait avant ses

169

désirs personnels. Et c'était davantage de la déception qu'il avait ressentie en embarquant seul à bord de l'avion de Eastern Airlines, une déception égoïste, il l'admettait, celle de ne pas la voir dans les tribunes, de savoir qu'elle ne l'attendrait pas à la sortie du vestiaire.

L'air songeur, il soupesa la batte et la caressa du plat de la main. Elle l'avait prévenu que leur relation ne serait pas simple. Stella était une personne à multiples facettes. Elle avait vécu seule, combattu pour se faire une place au soleil et son caractère était profondément marqué par les épreuves que la vie lui avait infligées. Fragile, elle l'était certes, dans ses émotions, mais le sentiment d'indépendance qu'elle avait acquis au cours des années avait aiguisé sa volonté et l'avait endurcie. Bruce avait parfois envie de la secouer, de la violenter, pour qu'elle se soumette à son désir... Mais était-ce la bonne solution ?

Il vivait à présent chez elle. Cela s'était fait naturellement, sans qu'ils en discutent vraiment, cependant il ne se sentait pas chez lui. Il habitait chez Stella, avec Stella. Entre eux se dressaient encore des obstacles qui nuisaient à leur relation. Il fallait les surmonter. Aurait-il la patience nécessaire ?

Il prit le large gant de cuir qu'il glissa dans sa poche arrière et secoua la tête comme pour chasser ce flot de pensées qui l'obsédaient.

— Jones ! appela l'entraîneur. Il est temps d'y aller !

Il poussa un soupir. Il dompterait Stella, par la force ou par la douceur, il viendrait à bout de ses réticences... Mais pour l'instant, il avait un match à gagner, et quel match !

Stella accéléra nerveusement. Elle tournait dans le parking du stade depuis dix minutes et pas le moindre espace vide.

— Je savais bien qu'on aurait dû partir plus tôt, marmonna-t-elle.

Stan consulta sa montre.

— Le match commence dans un quart d'heure.

Elle lui décocha un coup d'œil rageur.

— Si tu avais été prêt à temps, on n'en serait pas là !

Stan se tassa comiquement sur lui-même comme s'il s'attendait à ce qu'elle le frappe. Stella secoua la tête en souriant. Soudain il bondit sur son siège.

— Là ! s'écria-t-il. Une place !

Elle donna un brusque coup de volant et se rangea à côté d'un énorme break.

— Enfin, dit-elle dans un soupir. Je ne veux pas manquer leur entrée sur le terrain. Allez ! Dépêche-toi !

Ils se dirigèrent vers les guichets au pas de course.

— C'est étonnant de voir à quel point le base-ball vous passionne maintenant, fit-il.

Il courait presque pour se maintenir à la hauteur de la jeune femme.

— C'est un jeu intéressant, répondit-elle évasivement.

— Ah oui ?

Devant son air moqueur, elle riposta aussitôt :

— Attention, Stan ! C'est moi qui ai ton billet.

Tu ne voudrais pas rester sur le parking, tout de même ?

— Je ne disais pas cela pour vous fâcher, mais puisque c'est de notoriété publique...

Stella se renfrogna. Elle enfonça ses poings dans ses poches, songeant au bruit que la presse avait fait autour de sa liaison avec Bruce. Certains magazines avaient publié des photos d'eux tendrement enlacés et les commérages allaient bon train : Stella, le metteur en scène des fameux spots publicitaires pour Di Marco, aperçue en compagnie de Bruce Jones dans tel ou tel restaurant... Mlle Gordon, valeur sûre des Productions Thornton, sous le charme du roi du base-ball, etc.

— J'ai encore lu hier, dans *Variety*...

Elle le foudroya du regard.

— Tais-toi. Les journaux racontent n'importe quoi.

Stan répéta perplexe :

— N'importe quoi...

Elle céda. Il la connaissait trop bien. Il était inutile de jouer au plus malin avec lui.

— Bruce et moi, nous ne voulions pas nous impliquer sérieusement avant la fin de la saison. Il a assez de choses en tête...

— Eh bien, ce n'est pas très réussi. Les journalistes sont à l'affût. Rien ne leur échappe.

Elle tendit leurs billets au contrôleur. Ils se mêlèrent ensuite au flot des spectateurs, à cette foule grondante et impatiente qui allait bientôt envahir les gradins.

— Je me demandais quel serait le superman qui vous ferait fondre comme glace au soleil, continua Stan avec un sourire en coin.

— Qu'est-ce qui te fait croire que je suis en train de fondre ? demanda-t-elle, légèrement irritée.

Le sourire du cameraman s'élargit.

— Il n'y a qu'à vous voir ensemble, répliqua-t-il. Quand on vous approche, on sent la température de l'air monter sensiblement.

Les mains de Stella se crispèrent dans ses poches.

— Stan ! Tes plaisanteries ne m'amusent pas du tout !

Elle ne put s'empêcher de sourire cependant. Même si Stan l'agaçait, elle devait bien admettre qu'il n'avait pas tout à fait tort. Ils s'assirent et contemplèrent le terrain encore désert.

— Achète-moi un hot dog plutôt que de raconter des bêtises !

— Moutarde ou ketchup ?

— Les deux.

Il héla le vendeur ambulant, acheta les hot dogs, ainsi que deux sodas bien frais.

— Stella, fit-il en se rasseyant. Franchement, c'est vraiment l'amour fou ?

Elle soupira.

— Décidément, quand tu as une idée dans le crâne, toi !

Il la dévisagea avec une expression affectueuse.

— C'est que je me sens concerné par tout ce qui vous arrive. C'est un peu cela l'amitié, non ?

Touchée par ses paroles, elle répondit :

— Tu as raison. Je suis amoureuse, Stan.

— Eh bien ! Félicitations ! C'est merveilleux !

— Merveilleux, mais difficile... et dangereux.

C'est un peu comme de marcher en équilibre sur un fil.

— Si vous le dites...

— Cela a bien dû t'arriver déjà, non ?

Il regarda au loin, l'air songeur.

— J'attends toujours. C'est une drôle de chose que l'amour. Plus on le cherche et moins on a de chances de le trouver. Mais je suis patient...

Il retira sa casquette et s'épongea le front. Stella lui donna une tape amicale sur le bras.

— Ça, c'est bien vrai. Tu verras, c'est quand on y pense le moins qu'il vous tombe dessus.

La voix du présentateur les interrompit. Les équipes allaient pénétrer sur le terrain d'un instant à l'autre. Elle mordit dans son hot dog. Stan était dans le vrai. Elle l'avait compris quelques années plus tôt, l'amour était un mystère : il venait à vous soudainement et ne vous lâchait plus. Inutile d'essayer de l'écarter de son chemin...

Les Pirates firent leur entrée sous les acclamations frénétiques de milliers de supporters. Bruce était sans conteste le héros de l'équipe, celui dont on attendait la victoire. Des spectateurs particulièrement enthousiastes scandaient son nom. Il prit sa position en troisième base et son regard erra sur les tribunes, s'arrêtant sur Stella. Il sourit. Elle sentit un frisson délicieux la parcourir, sachant que, parmi cette foule qui l'ovationnait, c'était à elle qu'il souriait. Elle vit Ripley lui parler à l'oreille. Celui-ci ne pouvait en effet s'empêcher de l'asticoter.

— Eh, don Juan ! N'oublie pas que c'est l'ave-

nir du base-ball qui se joue aujourd'hui. A force
de penser à ta belle...

Bruce se tourna vers lui.

— Stella va m'épouser.

Jack en resta sans voix un instant.

— Que dis-tu? Eh bien, si je m'attendais à
cela!

— Elle ne le sait pas encore, ajouta-t-il, mais
ça ne saurait tarder.

L'équipe adverse déboucha à son tour de
l'étroit passage montant du cœur du stade. Des
admirateurs fidèles, venus de Floride, se mirent à
hurler le nom de leur équipe.

Stella observait Jack et Bruce. Que pouvaient-
ils bien se raconter?

— Il mijote quelque chose, murmura-t-elle.

Stan avait sorti son appareil photo et le réglait
soigneusement.

— De qui parlez-vous?

— Je pensais tout haut...

Un chanteur célèbre interpréta l'hymne national. La foule s'était tue soudain et les joueurs,
tête nue, se recueillirent. Et puis ce fut l'explo-
sion, le délire, tandis que le coup d'envoi était
donné.

Les journalistes sportifs s'accordaient à dire
que la finale du championnat d'Amérique de
base-ball était l'événement le plus attendu de
l'année, le plus pur, le plus parfait, combinaison
sublime du travail d'équipe et de l'effort indivi-
duel.

L'action se déclencha dès la première manche.
Stimulés par leur victoire de la semaine passée
sur les Intrépides, les Condors déployaient une

énergie remarquable. Les Pirates les contenaient avec difficulté et devaient constamment resserrer leur ligne de défense sans pouvoir reprendre l'offensive.

A la fin de la quatrième manche, les deux équipes étaient à égalité avec un point partout. Stella avait les yeux fixés sur Bruce, tremblant pour lui chaque fois qu'un adversaire tentait de forcer le passage vers la quatrième base. Son visage exprimait une concentration, une détermination impressionnantes. Elle se rappelait avec émotion la première image qu'elle avait eue de lui : ce chevalier farouche et fier dont elle rêvait lorsqu'elle était enfant. Elle avait toujours le même sentiment.

Le cœur battant, elle le vit faire quelques gestes de décontraction avant d'empoigner fermement sa batte. Fermant les paupières un court instant, il respira profondément. Le visage de Stella apparut dans son esprit, baigné d'une lumière irréelle. La tension s'estompa aussitôt, comme par magie.

Il fixa le lanceur droit dans les yeux. Un murmure parcourut la foule. Le vent avait tourné, soufflant à présent contre lui. Il fallait qu'il frappe de toute sa puissance pour donner le temps au coureur de remonter les bases de l'adversaire. Il serra les dents et attendit.

La première balle fut hors jeu. Il entendit Ripley pester dans son dos. Genoux fléchis, balançant lentement son poids d'un pied sur l'autre, Bruce épiait le moindre cillement du joueur en face de lui. Le deuxième coup, lancé

176

trop bas, fit un faux rebond et se perdit derrière la ligne.

Le public gronda. Bruce réprima son envie de regarder vers Stella, sachant qu'une seule seconde d'inattention pouvait lui être fatale. L'effort arracha un cri au lanceur et la balle partit en sifflant. Bruce était aux aguets. Son sens inné du jeu lui fit instantanément comprendre qu'il tenait là sa chance de marquer le point. Avec la rapidité de l'éclair, il pivota sur les hanches, ramena la batte en arrière et frappa de toute sa force. Il y eut un choc sourd et, avant même de s'assurer que le coup était bon, il s'élançait dans le couloir de l'adversaire. Bruce se jeta de côté pour éviter la deuxième base qui lui barrait le chemin. Il manqua de perdre l'équilibre, mais se rétablit par miracle et bondit en avant. Désormais, rien ni personne n'était en mesure de l'arrêter. Les supporters se mirent à hurler leur joie, sautant sur leurs sièges et agitant des fanions aux couleurs de leur équipe.

Stan saisit Stella par les épaules et l'embrassa sur les joues.

— Vous avez vu ! Il est terrible, ce type. Il est terrible !

A côté d'eux, quelqu'un lança son paquet de pop-corn en l'air en poussant un cri d'allégresse.

Sur le terrain, Bruce reprenait son souffle, ignorant l'ovation du public mais songeant plutôt à la douleur qu'il ressentait au côté droit. Il avait pris un coup de genou dans l'action, et craignait que la souffrance ne l'empêchât de jouer. Il se massa vigoureusement, les traits tendus. Une sueur froide perlait à son front. Son regard croisa alors celui de Stella. Il s'efforça de sourire. Continuer. Il devait continuer coûte que coûte ! Le soigneur courait déjà vers lui mais, d'un signe de la main, il lui fit comprendre que ce n'était rien. Il respira profondément et trotta vers la troisième base. Le visage de la jeune femme était à lui seul un baume qui apaisait sa douleur.

La sixième manche fut particulièrement éprouvante pour les Pirates. L'adversaire prit l'avantage, leur volant base après base sur des frappes de balle d'une extraordinaire précision. Ripley, en essayant une feinte, avait été bousculé et jeté au sol sans toutefois qu'une pénalité soit sifflée à son avantage. Bruce avait protesté, appuyé par l'entraîneur, mais l'arbitre n'avait rien voulu savoir. Le sourire narquois du lanceur des Condors leur avait rappelé à tous qu'à un tel niveau de compétition certaines lois, telles que la loyauté ou le fair play, n'avaient plus cours. Ripley poussa un juron en venant reprendre sa place derrière Bruce.

— Calme-toi, fit celui-ci. La bonne foi finit toujours par payer... et nous allons gagner ! Marque bien le numéro huit. Je m'occupe de la quatrième base.

Jack hocha la tête, ravalant sa colère.

Ensuite, tout alla très vite. Au cours de la septième manche, les Pirates, sur une action déclenchée par Bruce, égalisèrent à nouveau, dominant nettement l'équipe de Floride. La tension monta sur le terrain. On se serait cru en plein cœur d'un ouragan. Les joueurs accéléraient le rythme, se mêlant les uns aux autres comme dans un tourbillon. Simultanément, l'excitation grandissait dans les gradins. La foule sifflait, vociférait ou applaudissait avec frénésie, animée par la même émotion.

Les Condors menèrent la huitième manche et prirent l'avantage dans les dernières minutes. Trois à deux en leur faveur, tel était le score quand la neuvième manche commença. Le soleil déclinait lentement sur le stade. Un vent frais vint souffler sur les tribunes, apaisant quelque peu les esprits enfiévrés.

C'était au tour de Bruce de rattraper la balle. Le coureur, une jeune recrue qui s'était distinguée lors des matchs précédents par son talent de sprinter, lui adressa un regard plein d'espoir.

Ripley fit osciller la batte entre ses jambes. En face de lui, le lanceur piétinait nerveusement le sol. Le silence se fit parmi les spectateurs. On venait d'entamer le dernier quart d'heure de jeu et les Condors menaient toujours avec deux points d'avance.

— Dehors ! hurla Jack tandis que la balle passait au-dessus de sa tête.

Bruce essuya la sueur qui coulait sur son front puis rajusta son casque.

Le deuxième coup arriva sur lui comme un boulet de canon. La batte siffla dans le vide et Bruce plongea sur le côté. Il bloqua la balle et, s'agenouillant, il la renvoya au coureur qui partit comme une flèche. Une vague d'enthousiasme souleva la foule qui se mit à crier.

Ripley bondit de joie et serra Bruce dans ses bras.

— Encore un et on les a ! fit-il au comble de la

surexcitation. Rien qu'un point et la coupe est pour nous !

L'arbitre consulta son chronomètre, puis siffla la remise en jeu.

Bruce fit un effort pour réguler sa respiration. Même s'il paraissait détendu, sa tension intérieure avait atteint son paroxysme. L'avenir de l'équipe dépendait de cette dernière action et, ultimement, de lui-même, puisqu'il devait rattraper la balle. S'il la manquait, il faudrait jouer les prolongations.

L'adversaire réussit un coup presque imparable. Bruce s'élança néanmoins à la poursuite de la balle. Il courut vers les tribunes à toutes jambes tandis que les supporters scandaient son nom pour l'encourager. Il heurta violemment la palissade, la main tendue en avant, aussi loin que possible. La balle tomba miraculeusement dans le creux de son gant. Il leva alors les yeux et vit Stella qui le regardait.

— Joli coup, dit-elle.

Elle se pencha alors et l'embrassa sur les lèvres. Mais déjà ses coéquipiers se précipitaient pour le porter en triomphe. La foule en délire l'acclamait et certains spectateurs, ne se tenant plus de joie, envahissaient le terrain, renversant les barrières et bousculant les hommes du service d'ordre.

Jamais Bruce n'avait eu autant de champagne versé sur lui. Perché sur la rangée d'armoires, Ripley secouait une bouteille, aspergeant quiconque passait la porte du vestiaire. L'entraîneur était impuissant à contenir le flot de journalistes, d'admirateurs et d'amis qui se pressaient autour des joueurs. Ceux-ci étaient assaillis de questions. Epuisé, mais rayonnant de bonheur, Bruce commentait la dernière phase du match pour un reporter de la télévision.

— Cette jeune femme enthousiaste qui vous a si chaleureusement récompensé...

Bruce interrompit le journaliste dont le sourire en coin en disait assez long.

— Je sais où vous voulez en venir. Oui, c'est bien elle. Stella Gordon, le metteur en scène des films Di Marco.

Jack lui fit un clin d'œil complice. Il déboucha une autre bouteille, faisant sauter le bouchon devant la caméra.

— Eh! Et moi, on ne me demande rien? s'écria-t-il en simulant l'indignation. Moi aussi, je suis une vedette!

Bruce empoigna le magnum que son ami lui tendait et but une longue gorgée au goulot. Il ferma les paupières un instant, essayant de retrouver la sensation du baiser de Stella. La magie du moment avait intensifié chaque détail. Dès que la victoire lui avait paru acquise, Bruce s'était senti porté par une joie indicible.

Les cris du public, les reflets du soleil dans les cheveux de Stella, les battements de son propre cœur, tout cela s'était imprimé dans sa mémoire, formant un tout indissociable. Il sourit tandis qu'il revoyait comme dans un rêve le regard de la jeune femme posé sur lui. Il y avait lu la tendresse et l'amour et à cette seconde précise rien d'autre n'avait existé.

Pendant deux heures, ce fut l'euphorie. Toute

la tension accumulée avant et pendant le match se relâcha progressivement jusqu'à ce que la fatigue prenne le dessus. Les derniers reporters quittèrent le vestiaire et les joueurs, parlant entre eux de leurs projets et de leurs espoirs, virent bientôt la mélancolie les gagner. La saison était terminée.

Jusque-là, ils avaient vécu au rythme des entraînements, des départs. Ils s'étaient sans cesse surpassés, n'ayant qu'une idée : être les meilleurs, vaincre. Une vie aussi intense ne laissait aucune place à la rêverie et voilà qu'aujourd'hui ils se retrouvaient subitement libres... jusqu'à l'année prochaine. Bruce boutonna sa chemise et promena un regard songeur sur le reste de l'équipe. Le plus jeune avait à peine dix-neuf ans, ensuite venait Kijinsky, vingt et un ans, Gimley, vingt-trois ans. Des athlètes superbes qui allaient prendre la relève. Bruce ne s'était pas vu vieillir au cours de toutes ces années de compétition. A vrai dire, il ne s'était jamais posé la question, mais maintenant... Il soupira et regarda Jack.

— Qu'est-ce qui ne va pas ? demanda celui-ci. Je te trouve bizarre, soudain.

Il fit un geste évasif de la main.

— J'ai l'impression d'avoir pris un sacré coup de vieux aujourd'hui.

— C'est le début de la sagesse, répliqua Ripley avec un large sourire. Continue et tu deviendras aussi sensé et raisonnable que moi !

Ils éclatèrent de rire. Bruce ferma son armoire puis boucla son sac.

182

— Dis-moi, reprit Jack, tu as vraiment l'intention d'épouser Stella ?

— Oui, dès que je l'aurai convaincue que je suis l'homme qu'il lui faut.

Il hocha la tête.

— Préviens-moi. Je tiens à être ton témoin.

Bruce acquiesça et les deux amis se serrèrent la main.

— C'est promis, Jack. En attendant, ne fais pas trop de bêtises.

— C'est plutôt à toi qu'il faudrait dire cela.

Le crépuscule jetait ses derniers feux lorsque Bruce sortit du vestiaire. Quelques supporters attendaient encore la sortie des joueurs. Il distribua des autographes, répondit complaisamment aux questions d'un groupe d'adolescents avides de détails, puis se dirigea vers le parking.

L'endroit était désert à présent, exception faite de quelques véhicules et du camion de la télévision autour duquel s'affairaient les techniciens. C'est alors qu'il la vit, appuyée contre l'aile de sa voiture. Ses cheveux défaits tombaient sur ses épaules. Le soleil couchant leur donnait une couleur de feu contrastant avec la délicate pâleur de son visage. Bruce en resta muet de surprise et sentit à nouveau le désir s'emparer de lui... Stella esquissa un sourire, mais ne fit pas un mouvement. Elle l'observait d'un regard posé, attendant qu'il vienne à elle. Il s'efforça de ne rien laisser paraître de son trouble.

— Si j'avais su que vous m'attendiez, je me serais dépêché.

Elle l'entoura de ses bras.

— Je préférais vous faire la surprise, répondit-elle dans un souffle. Félicitations, monsieur le pirate !

Il sourit, se débarrassa de son sac et la serra contre lui. Ils se regardèrent un moment puis il prit sa bouche.

Il revécut soudain toutes les émotions de la journée, l'exaltation, la fatigue, la joie de la victoire, mais bientôt ces pensées firent place au seul bonheur d'être avec elle. Décontenancé par la force de ses propres sentiments, Bruce s'écarta légèrement et plongea ses yeux dans les siens.

— Je vous aime.

Elle soupira de contentement et se blottit au creux de ses bras.

— Trop fatigué pour célébrer la victoire ? lui demanda-t-elle.

— Pas du tout. Je suis en pleine forme.

— Parfait. Ce soir, c'est moi qui vous offre à dîner.

Elle ouvrit la portière de la voiture.

— Justement, j'ai une faim de loup, dit-il en s'installant à côté d'elle.

Un moment plus tard, ils pénétraient dans le restaurant. Bruce commanda une grillade avec des frites et Stella choisit elle-même une bouteille de vin californien.

Tandis qu'il leur servait à boire, elle sortit de son sac le journal du soir qu'elle venait juste d'acheter.

— Ils doivent vous porter aux nues, fit-elle.

Elle chercha la page des sports mais Bruce haussa les épaules d'un air indifférent.

— Vous n'avez pas l'air très intéressé.

Elle eut soudain un hoquet de surprise.

— Ça alors !

— Qu'y a-t-il ? demanda Bruce.

Se penchant au-dessus de la table, il lut la page centrale où figuraient deux photos. L'une montrait Bruce en pleine action ; sur l'autre, on voyait Stella lui donner ce fameux baiser depuis les tribunes, avec pour légende : « Jones triomphe... sur tous les tableaux ! »

— Amusant, dit-il.

Il parcourut l'article des yeux. Le journaliste le comblait d'éloges, décrivant sa tactique de jeu, ses feintes, comme s'il s'agissait des faits et gestes d'un héros. Bruce secoua la tête en souriant. Le nom de Stella était mentionné en fin de page.

« Stella Gordon, metteur en scène renommé des Productions Thornton, paraît être l'actuelle compagne de Bruce Jones... »

— Je déteste ces commérages, déclara-t-elle avec véhémence.

— C'est la rançon de la gloire.

— Ce n'est pas une raison pour voir ma photo étalée dans le journal et lire ces stupidités sur mon compte.

— Ce n'est pas bien méchant, répliqua-t-il.

Elle jeta le journal de côté.

— Je n'aime pas qu'on se mêle de ma vie privée.

Bruce lui jeta un coup d'œil narquois.

— Quand on fait l'actualité, on appartient plus ou moins au public. Vous me teniez pourtant des discours de ce genre, il n'y a pas si longtemps !

— C'est votre affaire, pas la mienne, répliqua-t-elle. Vous êtes devant la caméra, moi derrière. Il ne faut pas confondre.

Il ramassa le journal et le déplia à nouveau.

— « Une princesse gitane aux cheveux couleur de feu, lut-il à haute voix, au teint de porcelaine et... »

Elle l'interrompit, furieuse.

— Arrêtez !

Il rit.

— Moi, je trouve que c'est assez bien observé.

Elle piqua du nez dans son assiette.

— Peut-être, mais cela ne me plaît pas. Ma vie privée est trop importante pour que...

Elle eut un haussement d'épaules.

— Surtout maintenant, reprit-elle. Ce qui se passe entre nous deux ne regarde pas le public.

Il lui prit la main et la serra doucement dans la sienne.

— Je comprends, fit-il d'une voix où pointait l'émotion.

Elle le fixa avec intensité.

— Je ne veux pas vivre en ermite, Bruce, mais je n'ai pas envie que la presse fasse état de tous nos faits et gestes !

Il but une gorgée de vin. Son regard brillait d'un éclat métallique.

— Il y aurait bien une solution pour qu'ils nous laissent en paix une fois pour toutes...

— Laquelle ?

Il attendit un instant avant de répondre.

— On pourrait se marier, dit-il enfin. Vous voulez du ketchup ?

— Pardon. Vous pouvez répéter ?

Il releva la tête avec une lenteur calculée.

186

— Vous préférez de la moutarde, peut-être ? Elle poussa un soupir exaspéré.

— Arrêtez de plaisanter, Bruce, je vous en prie. Il sourit.

— Je vous ai suggéré de m'épouser, c'est tout.

— Je... vous... bafouilla-t-elle.

— Au bout d'un moment, les journalistes ne s'occuperaient plus de nous. Ce qui les intéresse, ce sont les liaisons illégitimes, les passions, les déchirements. Les couples mariés ne font pas la une des journaux.

Elle l'observait, stupéfaite.

— Qu'en pensez-vous ? demanda-t-il.

— Je crois que vous êtes fou, balbutia-t-elle. Complètement fou ! Et si c'est une plaisanterie, je ne la trouve pas drôle !

Il lui saisit le bras, l'empêchant de se lever ou de s'écarter de lui.

— Je ne suis pas dément et je n'ai pas la moindre envie de m'amuser. Je vous dis simplement que si nous nous marions, vous n'aurez pas votre photo dans le journal.

L'incompréhension se lisait dans les yeux de Stella.

— C'est pour cette raison que vous voulez m'épouser ?

Il secoua la tête.

— C'est parce que je vous aime, Stella, répondit-il d'un ton tremblant de colère. Parce que je vous aime ! Il faudra bien vous y habituer : je vous aime !

Elle se renversa dans son siège.

— Et si, moi, je ne veux pas me marier ?

Il la dévisagea avec assurance.

— Vous vous y ferez un jour ou l'autre.

Stella contenait mal l'indignation et le trouble qui s'étaient emparés d'elle.

— Vous croyez ?

— J'en suis sûr.

Elle le foudroya du regard.

— Ce n'est pas votre avis ? reprit-il.

Elle croisa les bras sur sa poitrine, roulant des yeux menaçants.

— Vous êtes odieux !

Il rit.

— Je sens que vous n'allez pas tarder à mordre !

— Ce n'est pas impossible.

Son cœur battait la chamade, mais Stella se rendit compte que ce n'était ni la colère ni la révolte qui la mettaient dans cet état. Elle contempla Bruce, soudain songeuse. Il venait de lui déclarer qu'il était décidé à l'épouser ! Il était fou ! Cependant, elle ne put s'empêcher d'éprouver un sentiment de fierté et de joie qui lui gonfla le cœur.

— C'est sans doute le fait de remporter la coupe qui vous rend inconscient !

— Vraiment ?

Il lui prit la main et la caressa doucement.

— Que faut-il pour vous persuader, Stella ? demanda-t-il. Que je vous joue la comédie de l'amoureux transi et tremblant ?

D'un ton froid et professionnel qu'il connaissait bien, elle reprit :

— Recommencez, mais avec un peu plus de chaleur, monsieur Jones. Moins de violence et

davantage de finesse. Allez-y maintenant...
Action !

Bruce sentit sa colère tomber tout à coup, mais peut-être n'était-ce que de la peur, après tout, la peur qu'elle l'éconduise.

— Acceptez-vous de m'épouser, Stella ?

Le visage de la jeune femme s'illumina.

— C'est tellement mieux quand vous y mettez un peu du vôtre !

Chapitre 11

Qu'était-elle en train de faire ? Stella sentit un courant de panique la traverser en contemplant son image dans le miroir. Tout était arrivé si vite ! Il y avait à peine six mois, elle ne connaissait même pas Bruce et, dans moins d'une heure, elle allait devenir sa femme pour la vie...

Agenouillée à ses pieds, Edna la rappela à l'ordre.

— Ne bougez pas, mademoiselle Gordon ! Je finis d'arranger ces plis et c'est terminé.

Stella portait une robe de satin blanc lacée sur le devant, serrée à la taille, ample vers le bas, avec un décolleté en pointe bordé de dentelle.

— Restez tranquille ou je n'y arriverai jamais, lui dit une fois de plus Edna, d'un ton sévère.

— Je crois que je vais m'évanouir. J'ai la tête qui tourne, fit-elle.

— Des palpitations, répliqua-t-elle. Ce n'est rien.

— Cela m'étonnerait, protesta Stella. Je n'en ai jamais eues.

Edna la regarda avec un air attendri.

— Vous avez la frousse, c'est tout, comme n'importe quelle femme le jour de son mariage.

— Pas du tout !

Edna eut un large sourire.

— Oh, si ! Même que vous en tremblez !

Stella secoua la tête, le rouge aux joues.

190

— Mais c'est normal, reprit la gouvernante. En un sens, c'est une épreuve.

Elle l'interrompit.

— Vous dites n'importe quoi, Edna !

— Allons donc ! Ne me dites pas que cet homme ne vous fait pas battre le cœur comme un oiseau affolé !

— Vous vous trompez. Je n'ai aucune crainte.

— Je vois. Vous êtes aussi entêtée que lui, mademoiselle Gordon. Vous formez un couple très assorti. En tout cas, on verra bien si vous ne bafouillez pas au moment de prononcer vos vœux. Vous seriez bien la première...

— Je ne suis plus une enfant, Edna.

— Non, je sais. Mais justement...

La gouvernante coiffa la jeune femme et planta dans ses cheveux une fleur d'hibiscus rose pâle.

— Bon. Et maintenant, où sont ces jolies perles que vous a données Mme Thornton ?

Stella pointa le doigt vers une boîte à bijoux en acajou.

— Là, sur la commode.

Bruce avait suggéré qu'ils s'enfuient tous les deux. Au lieu de quoi, ils se retrouvaient malgré eux dans le piège tendu par Claire. Dès que Stella lui avait appris la nouvelle, elle s'était mis dans la tête de tout organiser. Elle avait décidé que la cérémonie se déroulerait sur la terrasse dominant le jardin et serait suivie d'une réception avec champagne et petits fours.

Edna se recula pour mieux la contempler.

— Voilà. Vous êtes très belle, mademoiselle Gordon. Il est temps d'y aller à présent.

Comme elles descendaient les marches vers le

salon, Stella fut prise d'une soudaine envie de fuir et de courir à toutes jambes jusqu'à sa voiture. Non, c'eût été lâche et malhonnête. Elle tenta de calmer les tremblements qui l'agitaient. Elle se voyait mal, allant leur expliquer, à tous, qu'elle avait changé d'avis, qu'elle ne voulait plus se marier...

— Oh ! Stella ! Tu es superbe ! s'exclama Claire en la voyant.

Elle était vêtue d'un ensemble en soie bleu ciel et portait un collier de turquoises.

— Claire, je...

— Absolument ravissante, ma chérie. C'est Bruce qui va être ébloui !

— Non, Claire, je... commença-t-elle.

— Oh, je sais que tu vas être heureuse. Quel jour merveilleux, n'est-ce pas ?

Claire l'embrassa sur la joue. Des larmes brillaient dans ses yeux.

— Tu vois, j'en suis toute retournée.

Stella reprit son souffle et fit une nouvelle tentative.

— Claire, il faut vraiment que je te dise... je...

— Non, non. Pas question de se laisser aller sinon nous ne serons pas à la hauteur. Je suis tellement fière d'être ta demoiselle d'honneur.

— Ecoute-moi, Claire. Je...

— Allez, allez ! Pas de sensiblerie, Stella.

Edna passa la tête par l'entrebâillement de la porte.

— On vous attend.

Claire serra fébrilement la main de son amie et la poussa devant elle. Trop tard, songea-t-elle tandis que le vertige la reprenait.

Elle se retrouva soudain face à Bruce. Il avait un sourire confiant et déterminé. Vêtu d'un costume gris pâle, d'un gilet blanc et d'une chemise à jabot, il était d'une élégance et d'une distinction impressionnantes.

La terrasse n'était qu'un parterre de fleurs. Des vasques emplies de pétales de roses embaumaient l'air.

Stella et Bruce prirent place devant le prêtre qui commença à parler d'une voix ferme et monocorde. Stella ne pouvait plus arrêter le processus qui était en train de se dérouler.

Bruce répéta les paroles que lui soufflait le prêtre, tandis qu'elle l'observait du coin de l'œil.

— ... jusqu'à ce que la mort nous sépare, dit-il.

Il fit glisser l'anneau à son doigt. Elle se rendit compte que ses yeux étaient embués de larmes. Puis elle entendit sa propre voix, lointaine, qui semblait sortir des profondeurs ouatées d'un rêve. Elle prononça à son tour la formule sacrée et Bruce la prit dans ses bras pour l'embrasser. Ils étaient unis pour la vie.

Sa tension se relâcha subitement et elle se laissa aller contre lui. Ripley les considérait d'un air amusé.

— Tu ne changeras pas, Bruce, fit-il. Il faut toujours que tu te donnes en spectacle !

Une centaine de personnes étaient réunies autour d'un buffet royal, le champagne coulait à flots et un orchestre d'une demi-douzaine de musiciens joua pour eux jusqu'à l'aube... Ce que Claire appelait une petite réception.

Stella fut présentée aux parents de Bruce. Sa

mère éclata en sanglots et tomba dans ses bras. Son père, un solide sexagénaire à la chevelure blanche, la serra contre sa poitrine et lui fit promettre de persuader Bruce de se joindre à l'entreprise familiale. Stella était très émue. Elle trouvait enfin une vraie famille, une famille telle qu'elle l'avait rêvée lorsqu'elle était enfant.

Une personne chaleureuse vint à sa rencontre et l'embrassa affectueusement.

— Vous venez de faire la plus grosse bêtise de votre vie, lui dit-elle. Les Jones sont tous des fous. Je suis bien placée pour le savoir. Je m'appelle Leonor. Je suis votre tante.

Elle reprit avec un sourire indulgent :

— Bruce est un garçon sympathique. Il faut simplement le remettre à sa place une fois de temps en temps.

— Rassurez-vous. Je ne vais pas m'en laisser compter !

Leonor hocha la tête et lui donna une tape amicale sur le bras.

— Vous avez raison ! Du caractère et vous serez la femme la plus heureuse du monde.

— Je vous tiendrai au courant, plaisanta Stella.

— Bien. Venez me rendre visite dans six mois. C'est le temps qu'il faut à un jeune couple pour faire son nid.

Elle jeta un coup d'œil furtif autour d'elle.

— Maintenant, si j'étais vous, je prendrais mon mari par la main et je l'emmènerais loin de toute cette foule.

Cependant plusieurs heures s'écoulèrent avant que la moindre chance de s'esquiver ne se présentât à eux. Lorsque le moment fut venu, Stella voulut monter se changer. Bruce l'en dissuada et l'entraîna jusqu'à sa voiture. Quelques minutes plus tard, il s'arrêtait devant chez elle.

— Nous y sommes, fit-il en soupirant.

— Que vont-ils penser de nous ?

— Ce qu'ils voudront.

Il se pencha et l'embrassa.

Elle s'aperçut alors qu'il tenait une bouteille de champagne cachée sous sa veste. Il lui adressa un sourire plein de malice.

— Excellente initiative, monsieur Jones.

Très émue, elle lui rendit son baiser.

Tandis qu'ils marchaient vers la porte d'entrée, elle sentit un inexplicable malaise s'insinuer en elle. La bague qu'elle portait au doigt lui parut soudain être un objet étranger qui ne lui appartenait pas vraiment. Elle frissonna.

— Il y a un ennui, commença-t-elle, c'est que je n'ai pas ma clé. Elle est restée dans mon sac, chez Claire.

— J'ai pensé à tout, répondit-il.

Il tira aussitôt de sa poche sa propre clé. Il avait fait faire un double quelques jours auparavant. N'était-il pas à présent un peu chez lui aussi ? Elle lui adressa un regard songeur, puis éclata de rire quand il la prit dans ses bras pour franchir le seuil de la maison. La gêne qu'elle avait éprouvée un moment plus tôt disparut immédiatement. Elle s'agrippa à son cou.

— Respectueux des coutumes, à ce que je vois !

Il hocha la tête. C'est alors que Stella entendit un petit jappement à ses pieds. Elle baissa les yeux et aperçut une boule de fourrure brune qui gambadait autour d'eux en poussant des cris de joie.

— Mais... qu'est-ce que...

— Votre cadeau de mariage, répondit-il. Une peluche... mais animée. Débordante de vie, n'est-ce pas ?

Elle lui échappa et s'agenouilla pour jouer avec le nouveau venu. C'était un pékinois aux yeux noirs étincelants, la face aplatie, marquée de rides profondes. Il avait une expression tellement comique qu'elle ne put s'empêcher de rire en le prenant contre elle.

— Oh ! Je l'adore déjà. Merci, Bruce. Vous êtes un amour.

— Vous pourriez peut-être lui obtenir un rôle dans une de vos publicités !

Il releva Stella et l'embrassa. Elle tremblait. Il s'en rendit compte. Il lui proposa une coupe de champagne.

— Pour vous réchauffer, ajouta-t-il.

— Je n'ai pas soif.

Il l'enlaça et commença à déboutonner sa robe tandis qu'elle dénouait sa cravate. Le désir se saisit d'eux, ineffable et délicieux. Il laissa sa veste tomber à terre tandis que Stella faisait glisser sa robe sur ses épaules nues.

Bruce ouvrit sa chemise tout en effleurant la gorge de sa compagne. Elle gémit, éprouvant une fois de plus l'envie irrésistible de se blottir contre lui, de caresser son ventre plat et musclé ; ses doigts rencontrèrent la boucle de son ceinturon qu'elle défit sans plus attendre. Leurs souffles se mêlèrent. Tremblants, ils se cherchèrent avec force et violence, laissant libre cours à leur passion. Avec des gestes fiévreux, ils se déshabillèrent, s'abandonnant au même plaisir, enivrés par la même émotion.

Il prit impérieusement sa bouche tout en la caressant. Elle se cambra et frémit, haletante, tandis qu'il la retenait dans ses bras.

— Maintenant... murmura-t-elle.

Elle vit son sourire, puis l'éclair redoutable de ses prunelles. Paupières closes, elle se laissa emporter par le flot impétueux qui déferlait en elle.

— Il me serait maintenant impossible de me séparer de toi, chuchota-t-elle.

Il poussa un soupir de bonheur et cala sa tête au creux de l'épaule de Stella. La lueur du crépuscule filtrait à travers les rideaux tirés. Il ferait bientôt nuit. Dire qu'ils étaient mari et femme, à présent. Stella avait pourtant l'impression qu'ils étaient toujours amants, que rien n'était très différent. Elle éleva la main et considéra sa bague. Elle était incrustée de minuscules diamants et de saphirs qui étincelaient dans la semi-clarté de la chambre.

— Crois-tu que je vais changer ? murmura-t-elle.

Bruce se redressa sur un coude.

— Mais tu es déjà une autre, ma chérie.

— Vraiment ?

Elle se rendait compte du pouvoir que la passion avait maintenant sur elle. Elle se sentait transformée, ardente et impérieuse. Et cette nouvelle femme lui plaisait.

197

Elle roula sur le côté, puis, renversant Bruce sur le dos, elle s'allongea sur lui.

— Je vous aime, monsieur Jones.

Il sourit et caressa ses cheveux.

— Continuez. Vous êtes en progrès.

Elle serra les poings.

— Je vous trouve insupportable !

Ensemble, ils éclatèrent de rire.

— Je suis contente que nous soyons venus ici au lieu de partir je ne sais où.

Il acquiesça.

— Nous irons à Hawaï pour Noël. Je veux te faire connaître ce paradis.

— Hum !... Nous verrons.

— C'est déjà décidé. J'en ai parlé à Claire. Repos forcé pour toi, ma chérie.

— Quel culot tu as !

— Tu me remercieras.

Elle plissa le front.

— Une demi-heure avant la cérémonie, j'ai dressé la liste de toutes les raisons qui auraient dû me convaincre de renoncer à ce mariage.

— Il y en avait beaucoup ?

— J'ai oublié de les compter. Seule la certitude d'être follement amoureuse de toi m'a donné le courage de franchir ce cap.

— C'est drôle, fit-il. Il s'est passé exactement la même chose pour moi. Mais j'avais une meilleure raison pour t'épouser...

— Ah ? Laquelle ?

Une lueur de malice s'alluma dans ses yeux.

— Je n'aurai plus à raccommoder mes chaussettes.

Elle le foudroya du regard.

— Décidément, vous êtes odieux, monsieur Jones ! Et en outre, vous avez un réel talent de comédien.

— N'est-ce pas ? dit-il avec fierté.

Un sourire se dessina sur les lèvres de Stella.

— Justement...

— Quelle idée as-tu encore en tête ?

— Tout le monde trouve que tu es très bon dans ces films publicitaires. Il y aurait peut-être un rôle pour toi dans le téléfilm que Claire est en train de distribuer. A condition, bien sûr, que le metteur en scène soit d'accord...

— Ainsi on ne me demande même pas mon avis. Je n'ai pas forcément envie de faire le clown devant une caméra, après tout !

— C'est une chance pour toi. Tu abandonnes la compétition pour te lancer dans une carrière cinématographique.

Il haussa légèrement les épaules.

— Encore faudrait-il réussir.

— Tu es merveilleux quand tu restes toi-même. La clé du succès est là.

— Tu ne me racontes pas d'histoires ?

Elle secoua énergiquement la tête.

— Pas du tout, Bruce. Je suis sérieuse.

Il se frotta les mains.

— Bon. Je vais aller dire deux mots à ce metteur en scène !

Elle éclata de rire.

— Qu'ai-je dit de si amusant ?

Elle posa ses lèvres sur les siennes.

— Tu l'as en face de toi, répondit-elle.

— Le monde est petit, c'est ce que je me dis
souvent.

Il la serra contre lui. A nouveau, la passion les
emporta.

Chapitre 12

Bruce descendit de cheval et adressa un regard furieux à Stella qui l'observait, assise parmi les techniciens. L'équipe de tournage prit un temps de repos. Depuis ce matin qu'ils essayaient d'en finir avec ce spot pour Di Marco, la fatigue et l'énervement ne faisaient que grandir parmi eux.

Stella poussa un soupir exaspéré. Bruce avait laissé les rênes à un assistant et s'approchait d'elle.

— Vous avez lu le script ? demanda-t-elle.

Il acquiesça.

— Alors, je ne comprends pas ce qui vous arrête.

Il serra les poings, mais garda néanmoins son calme. Son tee-shirt était trempé, ainsi que le bas de son jean et il réprima un frissonnement. Même s'il n'y avait pas vraiment d'hiver à Los Angeles, le vent frais de novembre lui glaçait les os.

— Stella, commença-t-il. J'ai l'impression de donner le meilleur de moi-même et...

Elle l'interrompit brutalement :

— Ce n'est pas suffisant. J'attends encore plus de vous.

Mal à l'aise, Stan détourna les yeux et fit semblant de vérifier la mise au point de la caméra.

— Vous êtes d'une exigence !

Elle regarda le cheval qui piaffait d'impatience, puis les yeux farouches de Bruce. Pas question de lui céder. Toute l'équipe les observait. Coûte que coûte, elle devait lui imposer sa volonté.

— Nous allons recommencer jusqu'à ce que ce soit parfait, vous le savez bien. Alors, faites un effort. Vous galopez le long de cette plage. Vous êtes heureux. Vous souriez. Ce n'est pourtant pas si compliqué !

Il hocha la tête d'un air ironique.

— Je galope. Je suis heureux. Je souris, répétat-il en l'imitant. C'est très simple, en effet !

Bruce s'approcha d'elle. Il l'enlaça et prit sa bouche, sentant la tiédeur de son corps à travers ses vêtements mouillés. Elle se crispa et eut un mouvement de recul. Pourquoi était-il en colère ? Il n'en savait rien, au fond. Et plus il tentait de franchir la distance qui les séparait, plus Stella semblait s'éloigner de lui. Il s'écarta.

— Restez naturelle, Stella. Ce n'est pas si compliqué...

Il la toisa avec cette arrogance qu'elle détestait et qu'elle aimait tout à la fois. Puis, elle pivota sur ses talons et retourna se placer près de la caméra.

Bruce enfourcha sa monture et attendit les instructions. Il avait remporté une victoire sur Stella, mais le combat était loin d'être terminé...

— Silence. Moteur... Action !

Il éperonna le cheval et se mit à galoper dans l'écume des vagues. La crinière blonde de l'animal flottait dans le vent au même rythme que la chevelure de Bruce. Le soleil se reflétant à la surface de l'eau les enveloppait d'une lumière surnaturelle.

— Pas besoin d'effets spéciaux, murmura Stan. C'est fantastique !

— Coupez ! fit Stella.

Roy accourut, un sourire ravi sur son visage.

— Mademoiselle Gordon ! Je suis certain qu'avec cette performance, les ventes de Di Marco vont grimper de cent pour cent.

Elle eut un geste évasif de la main. Bruce était à côté d'elle et la dévisageait d'un air satisfait.

— On recommence, dit-elle sèchement.

— Pourquoi ? demanda-t-il.

— Je veux que vous regardiez droit devant vous et pas dans l'objectif.

Il haussa les épaules et tira sur les rênes pour calmer l'étalon qui hennissait et piaffait. Pour cette scène, Stella ne recherchait pas la sensualité de l'homme mais, plutôt la décontraction, le bonheur que peut apporter la vie au grand air. Elle aurait tant souhaité que Bruce le comprenne sans qu'elle ait besoin de le lui expliquer...

— Allez ! En selle ! fit-elle.

Il demeura immobile, la dévisageant fixement.

— Non, répliqua-t-il avec fermeté.

— Je dois avoir mal entendu ! dit-elle en croisant les bras.

Stan sifflota nerveusement et s'éloigna de quelques pas.

— Je prends une pause et j'exige un jean sec. Je suis frigorifié.

Sans attendre l'assentiment de Stella, l'habilleuse se précipita vers lui. Quand il revint, la mine triomphante, elle sentit une bouffée de colère l'envahir.

— Vos caprices de star sont tout à fait déplacés, monsieur Jones !

Il lui prit le bras avec rudesse. Ses yeux lançaient des éclairs.

— Stella... C'est à ma femme que je m'adresse maintenant !

Elle se dégagea de son étreinte.

— Vous vous trompez, si vous espérez m'impressionner. Ici, il n'y a qu'un metteur en scène et votre premier devoir consiste à faire ce qu'il vous demande.

La fureur lui arrachait ses mots sans qu'elle ait le temps de réfléchir à ce qu'elle disait.

— De plus, vous obligez toute l'équipe à subir votre entêtement stupide !

Les traits de Bruce se figèrent en une expression d'une violence inouïe. Il parvint cependant à ne pas laisser éclater la rage qui bouillait en lui. Il desserra l'étau de sa main. Stella se frotta vigoureusement le bras.

— Nous nous expliquerons plus tard, fit-il entre ses dents. Vous allez me payer cet épisode, madame Jones !

Elle fit volte-face sans lui répondre. Devant le silence gêné de Stan et de Roy, elle eut un faible sourire.

Il n'aurait pas su donner d'explication logique à sa colère, mais depuis le matin, elle couvait en lui, profonde, incompréhensible. Il sortit de l'ascenseur et se dirigea vers le bureau de Stella, déterminé à régler ce différend entre eux. Et cette fois, pas question de lui laisser prendre l'avantage. C'était lui qui mènerait l'action !

Il entra en coup de vent, adressant un vague sourire à la secrétaire de sa femme, et poussa la porte du pied. La pièce était vide.

— Où est-elle ?

La jeune fille battit des cils.

— Eh bien, je... Mme Gord... Jones n'est pas dans son bureau.

Il soupira, excédé.

— Je vois bien.

— Peut-être... avec Mme Thornton. Je...

Bruce tourna les talons et dévala le couloir jusqu'à cette partie de l'immeuble réservée à la direction. Il trouva Claire et Lee en grande conversation et les interrompit brutalement.

— Claire, où est Stella ?

— Bonjour, Bruce, répondit celle-ci le plus naturellement du monde. Une tasse de thé ?

Il jeta un œil distrait à la théière et aux tasses disposées sur un plateau.

— Non, merci. Je cherche Stella.

Lee observait Bruce d'un air intrigué.

— Vous venez juste de la manquer, mon cher. Elle est partie il y a un peu moins d'une demi-heure. Un gâteau ?

Il secoua la tête.

— Où est-elle allée ?

Claire fit une moue imprécise.

— Chez elle, je crois. C'est ce qu'elle a dit, n'est-ce pas, Lee ?

— Oui. Et elle n'était pas de meilleure humeur que vous, Bruce.

Claire se rembrunit. Elle but une gorgée de thé et grignota un morceau de macaron.

— Dites-moi, Bruce. Vous seriez-vous disputés, par hasard ?

— Pas vraiment, je...

Il écarquilla les yeux, s'apercevant soudain que Lee tenait Claire tendrement enlacée et qu'ils souriaient tous les deux comme des bienheureux.

— Nous étions en train de tourner sur la plage et...

— Tout s'est bien passé ? demanda-t-elle.

— Eh bien, Stella semblait satisfaite...

Claire toussota.

— Vous n'avez pas l'air très convaincu ? Quand allez-vous vous décider à prendre la vie du bon côté, tous les deux ?

— Que voulez-vous dire ?

— Vous ne cessez de vous chamailler. Je n'ai jamais vu ça !

Bruce enfonça ses poings dans ses poches et regarda par la fenêtre.

— C'est à qui prendra le pouvoir, poursuivit-elle. La guerre des nerfs ! Faites donc la paix et bâtissez votre foyer sur des bases solides, saines !

Bruce tourna la tête et dévisagea longuement Claire, l'air songeur. Elle avait sans doute raison. Depuis qu'ils se connaissaient, ils jouaient un drôle de jeu, se provoquant, se défiant, et cherchant sans cesse à imposer sa loi à l'autre. Etait-ce ce qui le préoccupait depuis ce matin ? Leur relation lui semblait encore précaire.

Et puis il se sentait mal à l'aise chez elle. Non pas que l'endroit lui déplût. Mais il restait un étranger dans son monde à elle. Elle vivait entourée de ses objets, de son passé, de toute cette part d'elle-même qu'il ignorait.

— Je ne suis pas sûr que Stella ait vraiment envie de fonder un foyer, dit-il.

Claire lui jeta un coup d'œil outré et bondit.de son siège. Lee les observait, mi-amusé, mi-perplexe.

— C'est son vœu le plus cher, Bruce! s'écria-t-elle. Vous ne le voyez donc pas! Que savez-vous de son enfance?

— Pas grand-chose, admit-il. Elle...

— Avez-vous cherché à la comprendre, au moins? demanda-t-elle d'un ton courroucé. Elle n'a jamais eu de vraie famille, de sécurité affective, de tendresse, de... C'est de cela qu'elle a le plus besoin.

— J'ai surtout remarqué qu'elle aimait s'entourer de souvenirs, d'objets, de meubles, comme si posséder quelque chose lui donnait le sentiment d'exister.

Claire serra les poings et le toisa rageusement.

— Si vous la connaissiez mieux, vous ne parleriez pas ainsi. C'est un vide qu'elle comble. Ne trouvez-vous pas cela émouvant, déchirant même? Quand elle s'est présentée ici, elle n'avait que quelques dollars en poche et sa volonté de réussir. L'homme qu'elle aimait sincèrement venait de la quitter et la laissait complètement démunie. Elle s'est juré que rien de tout cela ne lui arriverait jamais plus et c'est à vous, Bruce, de lui prouver qu'elle n'a plus rien à craindre, qu'elle peut s'appuyer sur vous.

— Ai-je jamais souhaité autre chose?

— Alors, cessez de la harceler, d'exiger d'elle

plus qu'elle ne peut donner. Aimez-la comme elle est et offrez-lui le meilleur de vous-même.

Bruce inclina la tête.

— Mais je l'adore, vous le savez bien.

— Ce n'est pas suffisant, répliqua Claire.

Il lui lança un regard rageur et, sans ajouter un mot, fit demi-tour et sortit.

Lee émit un sifflement admiratif.

— Quel morceau de bravoure ! Je ne t'avais jamais vue aussi virulente.

— Je ne me mets pas souvent en colère, mais là... il le fallait.

Elle sourit.

— Ah ! Les jeunes mariés.

Il la serra contre lui et l'embrassa dans le cou.

— Ils ne savent pas reconnaître le bonheur quand il est à leur porte, dit-il d'un ton docte. Claire, que dirais-tu de passer le reste de ta vie avec un petit agent rondouillard qui empeste le cigare ?

Elle poussa un soupir.

— Je me demandais si tu allais te décider un jour...

Bruce tambourinait nerveusement sur son volant. Les voitures roulaient au pas sur quatre files. Pas moyen de doubler ou de se faufiler entre les véhicules. C'est à ce moment qu'il entendit le flash d'information. Le speaker annonça qu'un incendie venait de se déclarer près de Liberty Canyon et gagnait rapidement vers l'ouest. Bruce sentit sa gorge se nouer. La maison de Stella se trouvait en pleine zone sinistrée. Etait-elle vraiment rentrée comme le lui avait dit Claire ? Il ne pensa plus qu'à une chose, arriver là-bas le plus vite possible. Il donna un coup de volant à gauche et emprunta la voie réservée aux ambulances en écrasant l'accélérateur. Tant pis s'il était pris en chasse par la police, c'était un cas de force majeure !

Il quitta bientôt l'autoroute. Au fur et à mesure qu'il se rapprochait de la forêt, l'odeur de feuilles brûlées devint de plus en plus forte. Il aperçut une colonne de fumée s'élever dans le ciel et de gigantesques ombres rouges danser follement au-dessus du faîte des arbres. Une sueur froide envahit son front.

— Stella ! Stella ! murmura-t-il d'une voix angoissée.

Heureusement, le vent ne s'était pas levé. L'évacuation de la région allait s'opérer sans panique. Stella était sans doute en train de rassembler à la hâte quelques affaires. Du coup, il en oublia leur querelle.

Il ferma sa vitre tant l'odeur âcre devenait suffocante. Des nuages de fumée noire flottaient sur la route, rendant la conduite difficile et dangereuse. Des lapins, des hérissons, des belettes, jaillissaient des taillis pour fuir les flammes qui dévoraient déjà le sous-bois.

Il freina brutalement. La voiture fit une embardée puis s'immobilisa. Celle de Stella était garée devant la maison. Peut-être n'avait-elle pas entendu les nouvelles et lisait-elle tranquillement au coin de la cheminée. Il se rua à l'intérieur.

Le salon était désert. Aucun bruit à l'étage non plus. Il grimpa l'escalier en l'appelant. S'était-elle assoupie... Non, la chambre était vide. Un frisson glacé courut le long de son échine. C'est alors qu'il entendit le chien aboyer dehors. Il courut à la fenêtre et la vit. Elle arrosait la pelouse ! Le soulagement qu'il éprouva fut aussitôt balayé par la surprise, puis par la colère. D'épais nuages de fumée dérivaient déjà au bout du jardin et elle ne trouvait rien de mieux à faire que d'arroser le gazon ! Il ouvrit la fenêtre, furieux.

— Stella ! Qu'est-ce que tu fais ?

Elle sursauta puis leva les yeux vers lui.

— Dieu merci, Bruce, tu es là ! hurla-t-elle. Viens m'aider ! Et ferme la fenêtre pour que le feu ne rentre pas !

Il dévala l'escalier, décidé à l'emmener loin d'ici au plus vite, qu'elle le veuille ou non. Il n'y avait plus un instant à perdre. Il traversa le jardin en deux enjambées et la serra fébrilement contre lui.

— J'étais mort d'inquiétude. Peux-tu me dire ce que...

Un brusque coup de vent fit lever un rideau de flammes à moins de cent mètres, rappelant à Bruce l'urgence de la situation.

— Partons tout de suite, Stella !

Il la prit par le bras, mais elle se dégagea.

— Sûrement pas ! s'écria-t-elle.

— Chaque seconde est précieuse. Dépêchons-nous !

Elle ramassa le jet qu'elle braqua sur le mur de rondins tandis que le chien courait autour d'elle en jappant furieusement.

— Si nous humidifions bien tout l'extérieur de la maison, elle a des chances de ne pas brûler.

C'est alors qu'il remarqua sa tenue. Elle ne portait rien d'autre qu'un peignoir. Sans doute avait-elle entendu le flash d'information en sortant de son bain. Ses chevilles et ses mollets étaient souillés de boue, égratignés. Elle avait arraché les herbes au pied des murs et arrosé jusqu'à hauteur d'homme.

— Tu es folle ! lui dit-il, complètement déconcerté. Sais-tu ce que c'est qu'un feu de forêt ? Le vent s'est levé. La route risque d'être bloquée. Il faut nous en aller immédiatement.

Un éclair de colère traversa les yeux de Stella.

— Si tu ne veux pas m'aider, au moins ne me gêne pas.

— Je vais t'emmener, de gré ou de force, Stella.

Elle toussa. La fumée les enveloppait déjà. Elle continua néanmoins d'asperger.

Il serra les poings.

— Crois-tu que tu vas arrêter l'incendie avec un tuyau d'arrosage ? Cette maison est tout en bois et en verre. Ce que tu fais est inutile et vain.

— Je me bats, Bruce. Je me bats parce qu'il est hors de question que j'abandonne notre maison au feu sans avoir lutté !

Le ton de sa voix était farouchement déterminé.

— C'est notre maison, Bruce !

Il se figea, saisissant le sens profond de ses paroles. Notre maison, avait-elle dit. Une étrange et bouleversante émotion s'empara de lui comme si elle venait soudainement de lui ouvrir les yeux

211

sur la signification véritable de l'amour, de leur amour.

Elle le dévisagea intensément. Il eut l'impression que le dernier obstacle qui les séparait disparaissait enfin, leur ouvrant le monde infiniment vaste de l'amour.

Sans un mot, il lui prit le tuyau des mains et continua ce qu'elle avait commencé. Les yeux rougis par l'âcre fumée qui tourbillonnait dans le jardin, elle le regarda faire, stupéfaite.

— Je me battrai aussi, dit-il.

Il avait cet air redoutable, cette expression guerrière, qui l'avait frappée la première fois qu'elle l'avait vu. Elle essuya les larmes qui roulaient sur ses joues.

— Bruce, je...

Il sourit.

— Va vite nous chercher des foulards. Des masques à gaz seraient plus appropriés, mais enfin... Prends aussi deux couvertures.

Une violente rafale de vent attisa les flammes qui jaillissaient du bosquet, à trente mètres derrière eux. Des sirènes hurlèrent au loin. Les pompiers arrivaient. Bruce arrosa le mur ; il suffoquait sous les bouffées de chaleur dont l'intensité ne cessait d'augmenter.

Ils luttèrent ainsi, côte à côte, animés par la même volonté de vaincre, de sauver ce qui leur était le plus cher au monde : le toit qui abritait leur amour. Stella était insouciante du danger. Ce pour quoi elle se battait était trop important à ses yeux. Un foyer, une famille, l'amour. Ce qui lui avait tant manqué quand elle était enfant n'allait pas lui être volé maintenant. Ils échan-

212

geaient de brefs coups d'œil tout en poursuivant leur travail acharné. Une force miraculeuse, née de la fusion de leurs âmes, les portait, les animait d'une confiance inébranlable. Bruce regarda par-dessus son épaule. Le rideau de flammes était désormais trop proche pour qu'ils attendent davantage.

— Partons, Stella, cria-t-il entre deux quintes de toux. Nous avons fait tout ce qui était en notre pouvoir !

— Pas encore.

Elle essuya la sueur qui l'aveuglait. Elle semblait avoir perdu toute raison.

Cette fois, il ne céderait pas. Leurs vies étaient en péril. Il l'empoigna par le bras et l'entraîna vers la voiture. Le chien les suivit en jappant tristement comme s'il sentait le déchirement intérieur de sa maîtresse. Bruce la fit monter à bord, sourd à ses protestations. Il démarra, mâchoires serrées, le regard fixe. Stella éclata alors en sanglots.

— Tu ne comprends pas, balbutia-t-elle. Tout ce que je possède est là. Je ne peux pas laisser le feu dévorer ce qui m'est le plus cher. Je...

Il freina et la dévisagea fixement.

— Très bien, déclara-t-il d'un ton étrangement calme. Si tu penses vraiment ce que tu dis, j'y retourne. Je ferai l'impossible. Mais toi, tu restes ici. Je ne veux pas risquer de te perdre.

Avant qu'elle n'ait eu le temps de changer d'avis, il avait bondi hors de la voiture et s'élançait vers l'épais nuage de fumée qui noyait la maison. Elle demeura prostrée un moment, incapable de réfléchir. Puis, elle sursauta. Qu'avait-elle fait ? Elle se rendit compte tout à coup qu'elle avait envoyé Bruce au-devant du danger. Sa maison, ce qu'elle renfermait, tout était infiniment précieux, mais... Son sang se glaça. Ce qu'elle avait de plus cher au monde, c'était lui : Bruce. Comment pouvait-elle comparer ? Le plus beau cadeau que lui ait jamais fait la vie, c'était cet amour merveilleux qu'il lui témoignait. Du bois et du verre, lui avait-il dit. Oui, sa maison n'était rien de plus.

Elle ouvrit la portière, en proie à l'angoisse subite de ne plus jamais voir Bruce. Elle en mourrait. Elle hurla son nom, les larmes inondaient son visage. Le feu crépitait non loin, le vent brûlant l'étouffait à moitié. Elle remonta le foulard sur son nez et se mit à courir.

Le jardin était une véritable fournaise. Les pins flambaient comme des torches et certains s'abattaient en craquant. Stella sentit la panique la gagner, paralysant son corps et ses pensées. Elle cria encore le nom de Bruce. Elle l'aperçut enfin qui venait vers elle. Au même instant, une sirène retentit, toute proche. Une joie violente, exubérante, souleva le cœur de Stella lorsqu'il la serra contre lui.

— Je t'avais ordonné de ne pas bouger de la voiture, dit-il, sévère.

— Je ne peux pas vivre sans toi. Viens, partons d'ici, répondit-elle.

— Mais, la maison...

— Aucune importance, dit-elle d'un ton ferme.

Elle l'entraîna et se mit au volant tandis qu'il l'observait à la dérobée. Elle enclencha la première et démarra sans l'ombre d'une hésitation.

214

Après trois ou quatre kilomètres l'air devint plus respirable, mais les camions de pompiers, de plus en plus nombreux, continuaient de monter la petite route. Stella conduisait nerveusement, la gorge nouée, les mains crispées sur le volant. Au bout d'un moment, elle n'y tint plus. Elle se gara sur le bas-côté et s'effondra en larmes.

— Stella, je... je suis désolé.

Il lui caressa tendrement les cheveux.

— Je sais tout ce que cette maison représente pour toi. Les dégâts ne seront peut-être pas irréparables. On peut toujours...

— Au diable cette maison ! s'écria-t-elle.

Elle leva sur lui un regard où la colère et le chagrin se mêlaient.

— J'ai été stupide, ridicule ! T'envoyer là-bas, alors que le feu faisait rage. Je... je...

Elle jura et sortit brusquement de la voiture. Il la suivit.

— Stella.

Elle se retourna, les yeux noyés de pleurs.

— Tu es ce qu'il y a de plus important dans ma vie...

Elle respira profondément, s'efforçant de réprimer ses sanglots.

— Mais maintenant, je me demande si tu peux encore me croire. Je te jure pourtant que c'est vrai. J'ai tellement travaillé pour m'offrir tout ce qui m'a manqué pendant mon enfance... que de voir partir cette maison en fumée me terrifiait. C'était comme si tout ce que j'avais fait disparaissait. Je me voyais déjà recommencer de zéro. Est-ce que... tu me comprends ?

215

Il la prit dans ses bras et l'embrassa sur le front.

— J'ai compris beaucoup de choses depuis tout à l'heure, Stella.

Elle soupira. Ses mains tremblaient.

— Je ne me suis jamais sentie nulle part chez moi. Aussi, je m'étais juré qu'un jour je posséderais une maison à moi, avec mes affaires, sans rien demander à personne, sans avoir à rendre de comptes. C'est cet espoir qui m'a menée pendant toutes ces années, qui m'a donné la force de lutter, de réussir dans mon métier. Mais j'aurais dû comprendre qu'il me fallait maintenant rompre avec le passé. Je possède ton amour et rien ne saurait être plus important.

Il effleura du bout des doigts sa joue humide de larmes.

— Tu as parlé de notre maison, fit-il. Souviens-toi. Tu as prononcé ces mots presque à ton insu et, pour moi, ce fut une révélation. Tu m'as ouvert les yeux. Je me suis rendu compte à cet instant que tu te détachais de ton passé, que tu commençais une vie nouvelle, avec moi.

— Je me moque que la maison brûle ou pas, Bruce. Je t'aime tant !

Ils étaient noirs de suie, les cheveux emmêlés, collés par plaques, les vêtements déchirés, et pourtant, jamais Bruce ne l'avait trouvée aussi désirable. Ils éclatèrent de rire et, étroitement enlacés, roulèrent dans l'herbe. La passion s'empara d'eux avec une violence, une ardeur indicibles. Leurs corps, bouleversés par le désir, étaient

216

irrésistiblement portés l'un vers l'autre. Ils échangèrent un baiser frénétique, riant et pleurant à la fois, ivres de joie sous le soleil.

Libres, libres enfin.

Ce livre de la *Série Harmonie* vous a plu. Découvrez les autres séries Duo qui vous enchanteront.

Coup de foudre, une série pleine d'action, d'émotion et de sensualité, vous fera vivre les plus étonnantes surprises de l'amour.

Série Coup de foudre : 4 nouveaux titres par mois.

Désir, la série haute passion, vous propose l'histoire d'une rencontre extraordinaire entre deux êtres brûlants d'amour et de sensualité. *Désir* vous fait vivre l'inoubliable.

Série Désir : 6 nouveaux titres par mois.

Amour vous raconte le destin de couples exceptionnels, unis par un amour profond et déchirés par de soudaines tempêtes. *Amour* vous passionnera, *Amour* vous étonnera.

Série Amour : 4 nouveaux titres par mois.

Romance, c'est la série tendre, la série du rêve et du merveilleux. C'est l'émotion, les paysages magnifiques, les sentiments troublants. *Romance,* c'est un moment de bonheur.

Série Romance : 4 nouveaux titres par mois.

Série Harmonie : 4 nouveaux titres par mois.

ELIZABETH LOWELL
La chanson
d'Alana

Vertiges

De jour comme de nuit, Alana Reeves,
la jolie vedette de la chanson, est
prisonnière d'un cauchemar. Six jours de sa vie
ont sombré dans l'oubli après une randonnée
en montagne qui fut fatale à son mari...

Que faire? Comment vaincre l'angoisse et le
désespoir? Est-elle définitivement condamnée
au douloureux secret de son amnésie?

Une tendre conspiration se trame autour d'elle.
On l'incite à revenir vers cette
Montagne Noire qui lui a ravi ses chansons.

Et c'est le beau Rafaël Winter, le seul
homme qu'elle ait jamais aimé, qui l'accueille
à sa descente d'avion...

Duo

Série Harmonie

Harmonie n° 66

KRISTIN JAMES
Feux secrets

Avait-elle peur
d'aimer?

Seule, le cœur lourd, Stephanie
Tyler a besoin de la chaude amitié
de Neil Moran. Il émane de lui
tant de force tranquille.

Mais ce calme n'est qu'apparent. Il y a
longtemps que Neil se consume de désir
pour Stephanie. Mariée, elle était inaccessible.
Libre, elle se dérobe... Ses yeux clairs reflètent
le combat de l'angoisse et de l'amour.

Que faudra-t-il pour mettre fin à ce duel
insupportable? Un compromis? Ou un miracle?

Série Harmonie

JILLIAN BLAKE
Reflets
sur l'Hudson

Deux cœurs, un seul rêve

Deux mondes s'affrontent dès
l'instant où Lisa Patton, en tailleur
de soie sauvage, pénètre dans le
bureau du pédiatre David Corey.

Journaliste de mode, que vient-elle demander
au célèbre spécialiste dont le sérieux
et la rigueur sont connus de tout
New York ? Que peut-il apporter à cette
jeune femme dont il remarque l'élégance raffinée
sans pour autant oublier la légèreté habituelle
de ses articles ?

Mais quelle barrière est infranchissable ?
Au-delà des apparences, Lisa et David
se prendront-ils au jeu secret de la passion ?

Série Harmonie

Ce mois-ci

Duo Série Romance

Duo Série Coup de foudre

Duo Série Désir

Duo Série Amour

Achevé d'imprimer sur les presses de l'Imprimerie Bussière
à Saint-Amand-Montrond (Cher)
le 24 mai 1985. ISBN : 2-277-83068-2. ISSN : 0763-5915
Nº 871. Dépôt légal : mai 1985. Imprimé en France

Collections Duo
27, rue Cassette   75006 Paris
diffusion France et étranger : Flammarion